レンズが撮らえた

幕末明治日本の風景

山川出版社

目次

レンズが撮らえた　幕末明治 日本の風景

東海道宿場風景（放送大学附属図書館蔵）

幕末・明治の街道を往く

いうまでもなく江戸時代の旅は、馬や駕籠も利用されたが、圧倒的に「徒歩での旅」が中心であった。

平和な江戸時代に入って、ようやく庶民の旅が盛んになってきたとき、旅人に必然的に必要とされたのが、旅路の宿駅・里数・名所・旧跡などを記した「道中記」である。今でいう旅行ガイド・ブックである。

道中記には、交通路ばかりではなく、旅の途中に立ち寄ってみたい名所旧跡の案内の記述は当然だが、各地の有名人や名物や名酒等々の解説など、現代の旅行案内書と変わらない情報が満載されていた。こうした道中記の普及は、旅の容易さや安全性をより高め、旅人は増加の一途をたどったのである。

こうした江戸時代の旅姿や街道・宿場の様相を、幕末・明治の写真に垣間見ることができる。

山駕籠で行く人たち（画像提供：長崎大学附属図書館）
年代・撮影者不詳・着色写真。明治期の撮影か。箱根—元箱根間の杉並木に並ぶ山駕籠に乗った行列。

箱根宿遠望（個人蔵）

明治中期の撮影。撮影者不詳。箱根町の山伏峠（男駒山）方面から見た箱根宿と芦ノ湖。写真中央の小島・塔ヶ島の山上に箱根離宮が見えることから、明治19年（1886）以降の撮影であるが、江戸末期とほとんど変わらない町並みがうかがえる。

E 59 HAKONEJIKU (A STREET)

箱根宿（個人蔵）

明治後期の撮影。撮影者不詳。東海道日本橋から10番目の宿場・箱根宿は旅籠36軒、人口８４４人であった。しかも、大名などが宿泊する本陣６軒、脇本陣１軒もあったが、大名行列は箱根の関所越えを急ぐために、箱根宿に宿泊することは少なく、休息ばかりであったと伝えられる。

箱根宿内（個人蔵）

慶応3年（1867）、F・ベアト撮影。箱根宿三島町（西側）を撮影したもの。右手前の家の看板には「〇馬宿　萬屋（長左衛門）」と書かれている。箱根宿の戸数は、江戸時代後期には190軒余りあったが、明治の中期頃には約120軒ほどに減少した。

渡し船（日本大学芸術学部蔵）
Ｆ・ベアト撮影・着色写真。明治期の撮影。船上の男たちはすべて丁髷姿であることから、幕末か明治初期に撮ったものか。船には大きな荷物を乗せ、船頭を入れて１９人が乗っている。

馬子（画像提供：長崎大学附属図書館）
撮影者不詳・着色写真。明治期の撮影。馬を引く馬子と馬の背に乗る男子。当時の日本の馬は、西洋の馬と比べて小柄で格好も悪かったが、力はあったという。

駕籠に乗る女性

（画像提供：長崎大学附属図書館）

撮影者不詳・着色写真。明治前期の撮影。

蓑姿の駕籠かきと女性

（画像提供：長崎大学附属図書館）

日下部金兵衛撮影・着色写真。明治期のスタジオ撮影。駕籠かきは、茅（かや）・菅（すげ）などの茎や葉、わらなどを編んで作った雨具を身に着けている。

道端で水をもらう馬

（横浜開港資料館蔵）

撮影者不詳・着色写真。明治期の撮影。

箱根芦之湯 (個人蔵)
明治20年(1887)以降の撮影。左手前は亀屋、その奥に紀伊国屋旅館、道を挟んで右に松坂屋旅館。正面奥の階段は熊野神社に通じる。熊野神社の境内にある薬師堂「東光庵」は、江戸時代には文人・墨客たちが集うサロンとして賑わった。

かめや
内湯 かめや
内湯 かめや
かめや
内湯 紀伊國屋

旅をする巡礼の親子（画像提供：長崎大学附属図書館）
撮影者不詳・着色写真。明治期の撮影か。笠を被り、脚絆に草履を履く。ずだ袋・笈（おい）に杖を持つ、親子３人の巡礼の旅姿。

日本の町並みと風景を見る

江戸時代の街道と旅

山本光正（元国立歴史民俗博物館教授）

富士川（個人蔵）
明治30年（1897）頃の撮影。

●道は壮大な、果てしない舞台

宿場町・関所・海山の景。道という舞台は道具立てに不足することはない。主役は旅人、時には宿場の人々と、これもまた役者にこと欠くことはない。人の数だけドラマが生まれては消えていく。

多くの旅人が足跡を残した道に、人は感傷的な思いを込める。「旅のあはれ」はセンチメンタルの極致といってよいかもしれない。

旅に出れば晴れやかな気分になったり、楽しいことも数多くあるだろうが、格調高いとされる旅の文学作品は「旅のあはれ」を主題にしたものが多く、『東海道中膝栗毛』のような作品は一段下に見られるようである。

江戸時代の旅の文学作品として知られるのが『おくのほそ道』であるが、あくまでも本作品は文学であり、すべて現実を記したものではない。読者はこれにより芭蕉たちが辛い長い旅をしたという印象を持つようだが、芭蕉のような旅は一般的な旅であり、たとえば東国からの伊勢参宮者の旅と変わるところはない。

それでは、さまざまなドラマを生み出した江戸時代から近代にかけての道と旅について見ていくことにしよう。

駕籠が行く東海道松並木（放送大学附属図書館蔵）
Ｆ・ベアト撮影。撮影年代不詳。東海道を行く旅人と松並木の風景を撮る。

●江戸時代の街道

江戸時代の街道は五街道と脇街道に分けることができる。五街道とは東海道・中山道・日光道中・奥州道中・甲州道中のことで、幕府が直接支配した街道である。

○五街道

徳川氏は慶長五年（一六〇〇）関ヶ原の合戦に勝利を得ると、さまざまな政策を打ち出すが、慶長六年には東海道の宿駅を指定し、翌七年には中山道の宿場を指定している。慶長八年徳川家康が江戸幕府を開くと、東海・中山両道は徳川氏の道から幕府の道となったわけである。

その後日光道中・奥州道中・甲州道中が幕府の直接支配下とされ、道中奉行の支配下に置かれた。それぞれの街道の範囲は、東海道が江戸から京都及び大坂まで。中山道は江戸から守山宿までだが、草津宿で東海道と合流する。日光道中は江戸から鉢石宿まで。奥州道中は日光道中宇都宮宿から白河宿まで。甲州道中は江戸から上諏訪宿までだが、下諏訪宿で中山道と合流する。

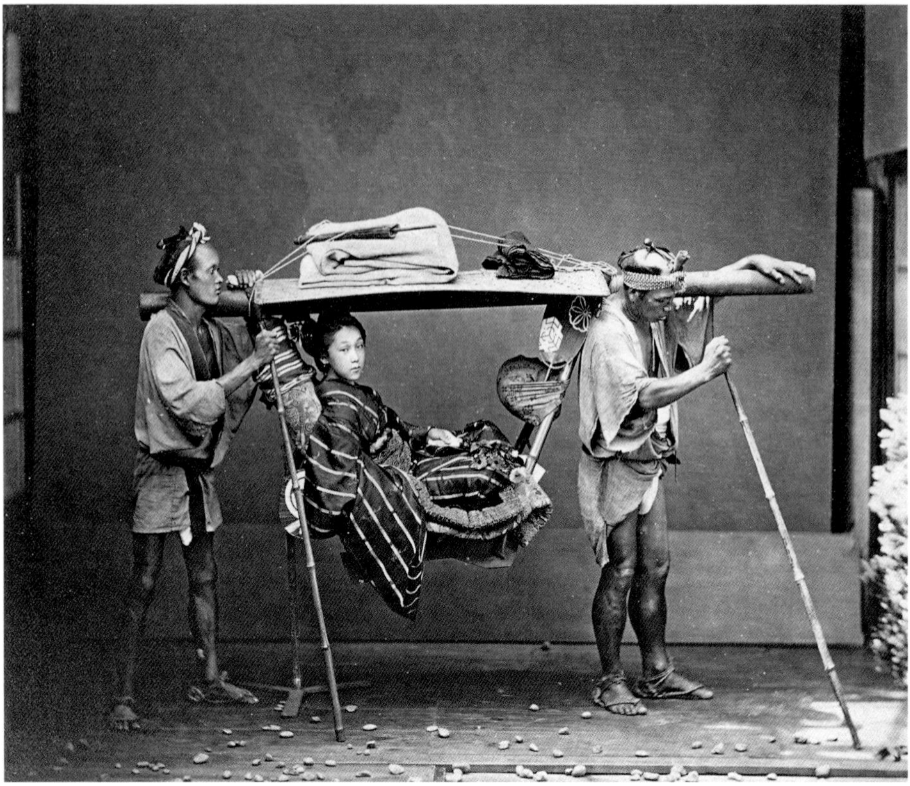

駕籠に乗る娘（放送大学附属図書館蔵）
明治中期の撮影。スタジオ撮影の写真。床に小石をちりばめ野外の雰囲気を出している。

そのほか五街道に準ずる主な街道として、東海道宮宿から岩塚・万場・神守を経て佐屋に達する佐屋路。佐屋からは桑名に通じ、東海道の迂回路ともなった。同じく宮宿から名古屋・起・墨俣などを経て大垣に達し、それより中山道垂井宿に通じる美濃路。江戸から王子・川口を経て岩槻に達し、日光道中幸手宿に通じる日光御成道。中山道倉賀野宿から五料・天明・金崎を経て壬生道の楡木に達する日光例幣使道などがある。

●脇往還

五街道以外の街道は脇往還などと呼ばれた。脇往還は五街道に匹敵するような規模を誇る街道から、関東平野を縦横に走る小規模な道まで多種多様であった。「脇往還」とはという定義はないし、日本の街道のほとんどは脇往還であった。代表的な脇往還はおよそ次の通りである。

○山陽道

中国路とも言う。大坂から下関、さらに豊前の大里から小倉に達する。古代律令制下におい

馬で行く（放送大学附属図書館蔵）

F・ベアト撮影。撮影年代不詳。馬上には「○に十の字」の薩摩藩の御用の札を付けている。この時代、勤皇の旗頭として勢いがあった薩摩の御用のためか、客も馬引きも得意そうに見える。

侍の旅姿（日本大学芸術学部蔵）

F・ベアト撮影。撮影年代不詳。江戸時代に飛脚が江戸・京都・大坂を毎月３度往復したことを三度飛脚と呼び、飛脚が被っていた笠には三度笠の名がついた。このスタイルは渡世人のイメージがあるが、当時、三度笠に合羽と刀が侍の旅のスタイルであった。

ては最重要路であった。

○長崎路

山陽道と連絡して小倉から長崎に至る。

○松前道

奥州道中白川宿より、郡山・仙台・盛岡を経て函館に至る。

○羽州街道

仙台道の桑折から山形・新庄・湯沢などを経由して青森湊に達する。

○伊勢路

東海道四日市宿の西日永の追分で東海道と分岐し、伊勢神宮に達する。

このほか江戸から佐渡に向う佐渡路。中山道関ヶ原から加賀の立花に至る北国路等々枚挙にいとまがない。

●宿場町

街道の拠点となるのが宿場町であった。宿場町の役割は公用や私用の貨客の輸送及び旅客の宿泊にあった。

○貨客の輸送

宿場町の最大の役割は、公用の旅行者に対し

日光鉢石宿全景（画像提供：長崎大学附属図書館）
撮影者・撮影年代不詳。鉢石（はついし）宿は江戸時代に下野国都賀郡（現日光市）にあった宿場町である。

無料または低廉な賃銭で人足や馬を提供することであった。人馬を提供するため東海道の宿場は一〇〇人・一〇〇疋、中山道は五〇人・五〇疋というように、五街道および五街道に付属する街道の宿場は一定数の人馬を常備することが義務付けられた。

　公用通行に必要な人馬を宿場で賄えないときは、助郷村から徴発した人馬で賄った。五街道の助郷村は幕府が設定したが、人馬の提供は村にとって大きな負担であったため、徴発をめぐってはしばしば宿場と助郷村が対立している。

　こうした公用物資の輸送負担に対し、公用以外の貨客の独占的な輸送が認められていた。そのため宿駅間の村々や周辺の村が勝手に貨客輸送に従事することはできなかった。

　貨客の輸送方法は、原則として隣接する宿場までで、例えば神奈川宿は江戸方面は川崎まで、京都方面は保土ケ谷までであった。隣宿まで貨客を輸送することを「継ぐ」「次ぐ」あるいは「継立」などと呼んだ。東海道五十三次の次は「次ぐ」からきたわけである。

団子の茶屋（画像提供：長崎大学附属図書館）
撮影年代不詳。スティルフリード撮影。店先には屋号の丸提灯と長提灯が下げられている。手前の男性客の髪型は断髪である。両側の男性は、羽織・袴姿で高下駄（たかげた）を履いている。

○宿場の組織

宿場の業務は宿場の問屋場において行われた。問屋場には宿役人と呼ばれる問屋・年寄が詰め、運営にあたった。

問屋は宿場の最高責任者で、人馬の継立や休泊業務をはじめ、宿駅財政や助郷対応等々の職務と責任を負ったが、それに相当する収入が保障されていたわけではなかった。

年寄は問屋の補佐をしたが、常置していない宿場もあった。問屋・年寄のほかに問屋場下役などと呼ばれる帳付や馬指などがいた。彼らは宿場に雇われたもので、実務にあたった。帳付は経理に通じていただけではなく、馬方や人足を相手にするので、胆力もなければ務まるものではなかったという。

○宿泊施設

一般の旅人にとって宿場は休泊するところとして意識されていたであろう。宿泊は宿場の特権であり、原則として宿場以外での宿泊は禁止されていた。疲れたからといって、宿場と宿場の間の村に泊ることはできなかった。

宿泊施設として最も格の高いものが本陣で

上・富士詣で
（国際日本文化研究センター蔵）
明治期、小川一真の撮影。スタジオ写真。

下・巡礼者
（国際日本文化研究センター蔵）
撮影者不詳。明治期の撮影。

あった。本陣は門・玄関・上段の間などを設けることができた。本陣には公用旅行者や参勤交代の大名など、特定の身分の者が休泊し、一般の旅人は休泊できないことになっていた。しかし近世後期の旅日記などを見ていると、時に一般の旅人も宿泊していたようだが、本陣の経営は厳しかった。

本陣に準じる施設が脇本陣である。脇本陣は本陣と異なり、一般の旅人を宿泊させることができた。

一般の旅人が利用したのが旅籠である。旅籠には飯盛旅籠と平旅籠があった。このうち飯盛旅籠は飯盛女と呼ばれた遊女を抱えた旅籠のことである。はじめ飯盛女を抱え置くことは禁止されていたが、享保三年（一七一八）旅籠屋一軒につき飯盛女を二名抱え置くことが認められた。認められたというより、認めざるを得なかったのである。飯盛女を置くことによって、当然旅籠屋の収入増を図ることができたが、宿によっては飯盛女一人に付き一定金額を旅籠屋が宿場に納め、宿場運営費に宛てるところもあった。

木賃宿と呼ばれる宿泊施設もあった。宿泊者が自炊用の薪を購入したことから木賃宿と呼ばれるようになったが、宿泊の古い形態とみられている。しかし江戸時代も中後期になると、貧しい巡礼や芸人・商人などが泊まる安宿の代名詞のようになっている。

○一夜湯治

旅人は原則として宿場以外に宿泊することは禁止されていたが、

中津の旅
（『日本の百年』所収）
撮影年代不詳。明治・大正期の馬での旅の様相。

湯本の旅
（『日本の百年』所収）
撮影年代不詳。箱根湯本の案内所前の情景。

宿場間に温泉があれば泊りたくなるのが人情である。温泉というと現在では人気のある旅行の一つだが、近代のある時期までは基本的には病気療養の場であり、一泊や日帰りなどということはなかった。ましてや足湯だけで終りなどということは論外である。

宿場間の温泉で有名なのが東海道小田原宿と箱根宿間の温泉場である。小田原・箱根間の湯本と畑は間の村でありながら、旅人を休泊させてきた。湯本は温泉場であるため湯治客が大勢訪れたが、一般の旅人もしばしば宿泊した。湯本側はこれを「一夜湯治」と唱えてきた。

一方畑は足を痛めた旅人や、箱根関所の門限に遅れた旅人の宿泊を賄ってきた。

ところが、文化二年（一八〇五）、道中奉行は綱紀粛正のため間の村での宿泊禁止を五街道に通達している。小田原・箱根両宿はかねてより湯本・畑における旅人宿泊を快く思っていなかったので、この通達を渡りに船とばかりに、湯本や畑の旅人宿泊禁止を願い出ている。

しかし訴えは認められず、これまでの湯本や畑の宿泊を追認するような結果に終っている。

旅人からすれば温泉のある湯本への宿泊は魅力的であったようだ。旅日記などによると、何度もきれいな湯に浸かることができるのに感激している。旅籠屋といっても小規模なものが多かったようで、風呂も一度に大勢が入れたわけではなく、温泉のようにゆっくり浸かってなどいられなかっただろう。

●街道の施設

○道の整備

交通システムが整備されたのに対し、土木面からの街道の整備はどうであったろうか。橋梁などの架橋についてはある程度の技術向上はあったのだろうが、道路そのものについては近世を通じて特別の工法が開発されるということはなかった。よく言われることだが、車両交通の発達しなかった日本においては、道を特に堅牢にする必要がなかったのだろう。

慶長十七年（一六一二）十月、幕府は老中土井利勝ら三名の連署で道・橋・堤などの補修に関する「覚」を出している。これによると馬の足跡の穴を砂でも石でもよいから埋めて固め、道の両側には排水溝を造成するよう命じている。近世を通じて砂や砂利による補修がほとんどであった。そのため雨が降れば道は泥濘状態になり、歩行困難になってしまった。

道の舗装がまったく行われなかったわけではない。事例は少ないが、石による舗装も行われていた。東海道だけでも、箱根・金谷および大津・京都間の日岡峠を中心とした辺りに造成された。

石道の中でも、観光の面からよく知られているのが箱根路である。延宝八年（一六八〇）に造成されたが、その後修理された様子はなく荒廃してしまった。しかし文久三年（一八六三）将軍家茂の上洛に際し、改修というより再造成されている。

日岡峠を中心とした石道は物資輸送用の牛車の通行の便のためであった。大津・京都間は重要な物資輸送路であり、人足や馬だけではなく牛車も通行した。そのため人馬道と車道が分かれていたが車道の損傷は甚だしく、元文元年（一七三六）木喰上人により日岡峠三〇〇間（約五四五メートル）に白川石が敷き詰められた。

日光の杉並木（明治 43 年『日本風景風俗写真帖』所収）
明治後期・小川一真撮影。

石道には二条の溝が造られ、その溝に車輪を入れた。その後は大津まで三里の道が改修されている。

○並木

街道に沿って並木を植えることは律令制下の五畿七道の制にも見え、織田信長も天正三年（一五七五）に東海・東山両道に松や柳を植えさせている。しかし全国的に実施されたのは近世に入ってからのことである。

慶長九年（一六〇四）、徳川秀忠は諸街道の改修の一環として並木と一里塚の造成を命じた。並木の種類は松や杉がよく知られるが、このほか柏・榎・樅・檜などさまざまな木が植えられている。並木の維持管理は五街道などでは幕末に至るまで実施されたが、必ずしも全国で徹底して行われていたわけではなかった。

並木は夏には旅人に緑陰を与え、冬は雪国などで街道が雪に埋もれてしまっても、並木にそって歩けば道に迷うことなく、道標の役割を果たした。今も各地に近世以来の並木が残っているが、日光や箱根の杉並木がよく知られている。

御所紫宸殿（個人蔵）
明治後期・小川一真撮影。

○一里塚

並木のところで述べたように、一里塚も慶長九年に徳川秀忠の命によって造成したものである。日本橋を起点とし、一里(約四キロメートル)ごとに道の両側に塚を築き、塚の上に樹木を植えた。塚上の樹木については、秀忠がよい木を植えよと言ったのを聞き違え、榎を植えたなど幾つかの伝承があるが、榎が一里塚の樹木として適していたのだろう。しかし全国的に見ると松・杉・欅などが植えられており、塚に植える樹木についての規制は無かったようである。

一里塚は道標の役割を果たすものであったが、度量衡の統一の一環として設置されたと見ることもできる。当時度量衡は地域によって違いがあり、租税の収納や全国統一に支障をきたすので、幕府はこれを統一しようとした。一里については五〇町・四八町・四二町などを採用する地域があったが、幕府は一里を三六町とした。これを周知徹底させるために一里塚が築かれたとも考えられる。

しかし長年親しんできた里程をすべて改めることは難しかったようで、生活の中では旧来の里程を利用している地域が随分とあった。岩手県の盛岡藩領では、本街道は三六町ごとに一里塚が築かれたが、脇街道は四二町（七里）＝一里で一里塚が築かれたという。四二町（七里）とは古代における一里＝六町のことを指すのだろう。鎌倉の七里ガ浜や房総の九十九里浜の一里は六町である。一里＝三六町で計算するととんでもないことになってしまう。

●近世の旅

街道という舞台装置はできあがり、さらに時代とともにその姿を変えていく。舞台には物資を運ぶ人。宿場で働く人。街道を行き交う旅人と様々な人物が登場し、主役となる。ここでは社寺参詣や行楽の旅人にスポットを当ててみよう。なおここでは徒歩による移動を旅、鉄道等交通機関による移動を便宜的に旅行とした。

近世以前すでに旅は盛んに行われていた。イエズス会士ルイス・フロイスは一五八五年八月二十七日（天正十三年八月三日）付のイエズス会総会長への報告に、日本の諸国から非常に多くの人々が伊勢神宮に参拝にやって来る。伊勢

金閣寺
（放送大学附属図書館蔵）
明治中期の撮影。

東大寺（放送大学附属図書館蔵）
明治中期の撮影。

清水寺
（放送大学附属図書館蔵）
明治中期の撮影。

神宮に行かないものは人間の数に加えられないと思っているようである、と記している。

○旅行圏の成立

より多くの人々が社寺参詣や行楽的な旅にでるようになったのは近世に入ってからのことである。より多くの人々といっても、現代とは異なり誰も彼もがというわけではないし、遠距離の旅ともなれば限られてくるのは当然のことであった。

気軽に出かけられるのは近場の旅であった。都市を中心に往復一～二泊から一〇日前後の参詣地や行楽地が成立した。成立といってもその多くは既存の寺社や名所・旧跡が見直されたり、何らかの理由で脚光を浴びるようになったものであり、いわば地域旅行圏を形成していた。

日本各地に地域旅行圏が成立したが、最大の地域旅行圏を擁していたのが、江戸である。京都は江戸より多数の寺社や名所・旧跡があるが、そのほとんどは京都市中であり、参拝という行為は日常の中にあった。京都市中の外縁部、つまり近郊にも多くの寺社や名所・旧跡があったが、近場の旅行地としてどれだけ注目されてい

成田山新勝寺（個人蔵）
明治後期・小川一真撮影。

たかは定かではない。

　江戸の地域旅行圏には川崎大師・金沢八景・鎌倉・江ノ島・大山・富士山・成田山新勝寺・筑波山、さらに坂東札所・秩父札所・新四国八十八所をはじめとする多くの手軽な旅行地があり、少し足を延ばせば日光や榛名山・善光寺などがある。

　こうした旅行地の中でも近世中期以降多くの参拝者を集めたのが成田山新勝寺である。江戸から二〜三泊で往復できるが、時間と旅費に余裕があれば香取・鹿島・息栖の各社を巡り、銚子の風景を楽しむことができた。

○長期の旅

　近世において長期の旅といえば通常遠距離の旅を指す。それは近世には一ヶ所に長期滞在する旅はほとんどなかったからである。江戸及び東国を代表する長期の旅は伊勢参宮である。近世以前より盛んであった伊勢参宮は近世に入ると、社寺参詣を代表する旅となり、諸国から多くの参詣者を集めるようになった。ここでは東北地方からの伊勢参宮のルートをみてみよう。

　東北地方からの伊勢参りといっても幾つものルートがあるが、例えば山形方面の人々は、在所を出ると松島・仙台に出て見物。それより南下するが、その一つのルートは太平洋岸の道を通り水戸へ出て、加波山・筑波山・鹿島・息栖・香取・坂東札所十三番滑川観音・成田山新勝寺などを経て江戸に入る。もう一つは仙台から奥州道中を通って日光などに回って江戸に入る。

　江戸には一〜二泊して東海道を往くが、鎌倉・江ノ島に回って藤沢宿に出ている。場合によってはこれより大山に向うこともあった。江尻宿からは久能山を経由して府中宿（静岡）に出ることもあった。

　掛川宿からはまた東海道を離れ、秋葉山・鳳来寺を参詣して東海道御油宿に出て、宮宿から名古屋に入って名古屋城を見物。それより佐屋路を往き、津島神社などを参拝し佐屋から船で桑名宿に向い、四日市宿を出た日永の追分で東海道と別れを告げ、伊勢に達する。

　伊勢参宮を果たすと、多くは西国各所を巡った。西国を巡るコースはおよそ二つに大別できる。一つは伊勢から奈良—吉野—高野山—大坂そして京都へ出るというもので、場合によって

名古屋城（『国宝史蹟 名古屋城』所収）
昭和 16 年（1941）頃の撮影。

は大坂から海路讃岐の金毘羅へ出て、山陽道を通って京都に入っている。

もう一つは伊勢より熊野に出て、第一番札所青岸渡寺を振り出しに西国三十三所を巡拝しつつ各地の寺社・名所・旧跡を回り、三十三番札所谷汲山華厳寺に達するというものである。

帰路はいずれの場合も中山道を通り、洗馬宿から善光寺に向かい、善光寺から新潟方面に出て帰村する。往路日光に回らなかった旅人の中には善光寺から北国街道を通って中山道追分宿に出、日光などに寄り帰村するものもいた。

●近世における旅の特質

近世は街道そして旅が大衆化した時代である。同時代の世界史上から見ても、近世日本のような旅が展開した国はなかったであろう。世界各地においては古くから聖地巡礼の旅が行われていたが、それは明らかに日本の旅とは異なるもので、聖地巡礼は敬虔な信仰に基づいたものである。もっとも巡礼が常に敬虔な信仰だけに基づいていたわけではなく、例えば一四世紀のイギリスではカンタベリーへの巡礼も敬虔さ

伊勢神宮内宮（個人蔵）
明治後期・小川一真撮影。

は姿を消している。（臼田昭著『イン』）

しかし敬虔さが希薄になったからといって、その旅を近世日本の旅と同一視することはできない。それは近世日本の旅が信仰を基盤・大義名分としているものの、物見遊山の要素が強かったからであり、一つでも多くの寺社に参詣し、一つでも多くの名所・旧跡等を見ることにあったからである。

多神教である日本は沿道に様々な寺や神社があり、参詣対象となっているものも多い。名所・旧跡もまた枚挙にいとまがないほどである。

風景もまた旅の魅力である。箱庭的風景が展開する日本では、街道を歩いていてもすぐに風景が変化する。半日あるいは一日歩いても同じような景色が続くような所はない。つまり日本の旅は道中に多くの魅力が詰まっており、これが旅をより一層物見遊山的なものにしてしまったのである。

伊勢参宮という目的は一応あるが、旅の楽しみ、醍醐味は出発から帰村までの道中にあったのである。

近世は旅が大衆化した時代と書いたが、近世においては誰もが憧れる旅、頂点に立つ旅はなかった。よく贅沢旅行の代名詞として「大名旅行」と表現されることがあるが、大名旅行＝参勤交代は誰もが憧れる旅ではなかった。計画通りに旅を進めなければ莫大な費用を追加しなければならず、景色のよいところでゆっくり休んだり、沿道の寺社や名所・旧跡に小まめに立寄るなど、許されるものではなかった。「誹風柳多留」の次の句が庶民と大名の旅を見事に言い表している。

大名に　木蔭の昼寐　うらやまれ　　五七１０

大名に　生れぬ徳で　夫婦旅　　一二一１４

近世の旅の主役は庶民であり、旅の内容は均一化されていたのである。こうした庶民・大衆にとっての旅とは、地域共同体からの一時的解放であり、時として権力に対するガス抜き装置として作用したのである。

●旅の終焉

江戸から明治へ。しかし相変わらず旅の時代

開業前の新橋停車場（港区立港郷土資料館蔵）
明治５年（1872）の撮影。

は続き、人々は基本的には徒歩による移動であった。

明治五年（一八七二）新橋―横浜間に鉄道が開通するが、社寺参詣等の旅人にとって鉄道の利用は時間の短縮、あるいは歩かなくて済む便利なものというより、時代の最先端を行くものに乗るということであり、文明開化と一体になれるものという意識であっただろう。

その後各地に鉄道が敷設されるが、旅の時代の幕を引いたのは東海道線の開通であった。

明治二十二年（一八八九）東海道線が全線開通すると、東海道を移動するものは開通後間もなく鉄道を利用するようになった。

社寺参詣者達も鉄道を利用するようになるが、鉄道が通じたからといって近世以来の旅をすぐさま捨て去ることはできなかった。東海道線を利用しても途中下車を繰り返し、沿線の社寺や旧跡を参拝・見物している。

しかし次第に途中下車はなくなり、伊勢から熊野に向う西国三十三所を巡る旅は姿を消し「旅の時代」は終焉を告げ、旅行の時代を迎えるのである。

旅行の時代の到来により、より遠くへの旅行が容易になったが、長期の旅行はほとんど行われなくなった。社会の動きは移動手段の高速化とともに速度を増す。こうした社会においては余程の好事家でも無いかぎり徒歩旅行など許されず、数泊の旅行が主流となっていく。そして主たる移動手段である鉄道に対し、人々はより早くを求めるようになるのである。

新橋停車場（『日本の東京』所収）
撮影年代不詳。明治５年（1872）に開業した日本最初の鉄道ターミナル。

東海道の町並みと風景

江戸時代、東海道は五街道のなかでも、最も重要視された幹線であった。江戸日本橋を起点として品川宿から大津宿までの53の宿場を経て京都へ通じた街道である。現在は国道1号線となり、今も日本の交通の大動脈となっている。ここでは幕末・明治の古写真から東海道の原風景をさぐる。

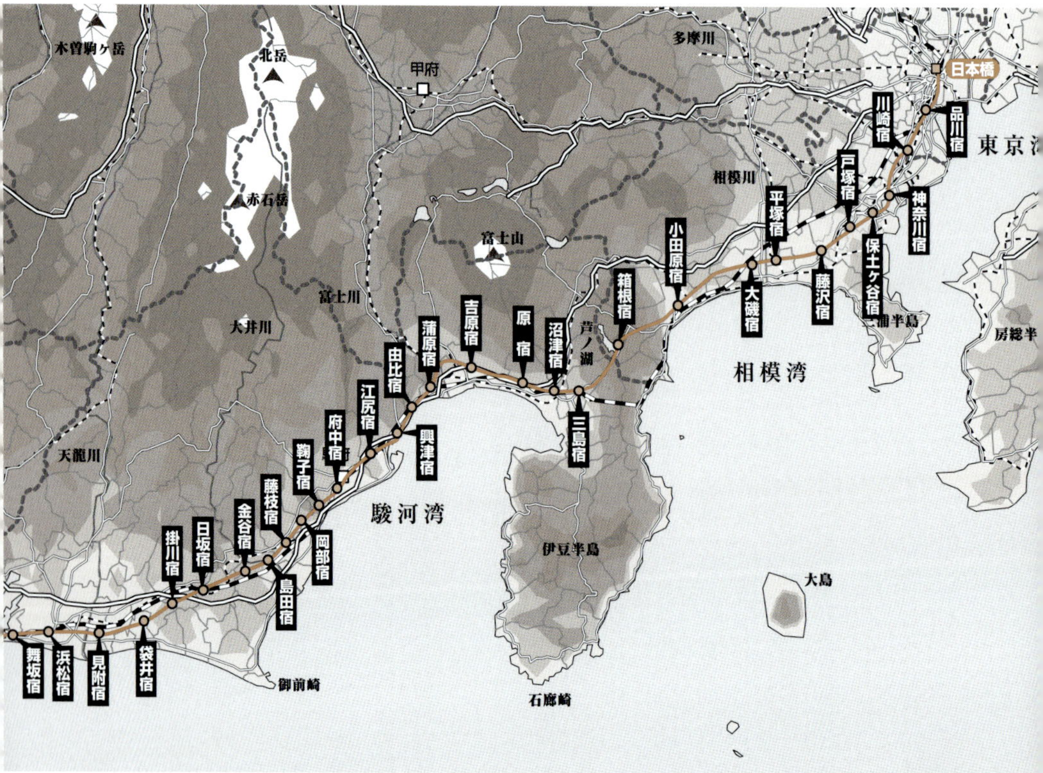

江戸橋付近（放送大学附属図書館蔵）　明治期の撮影。

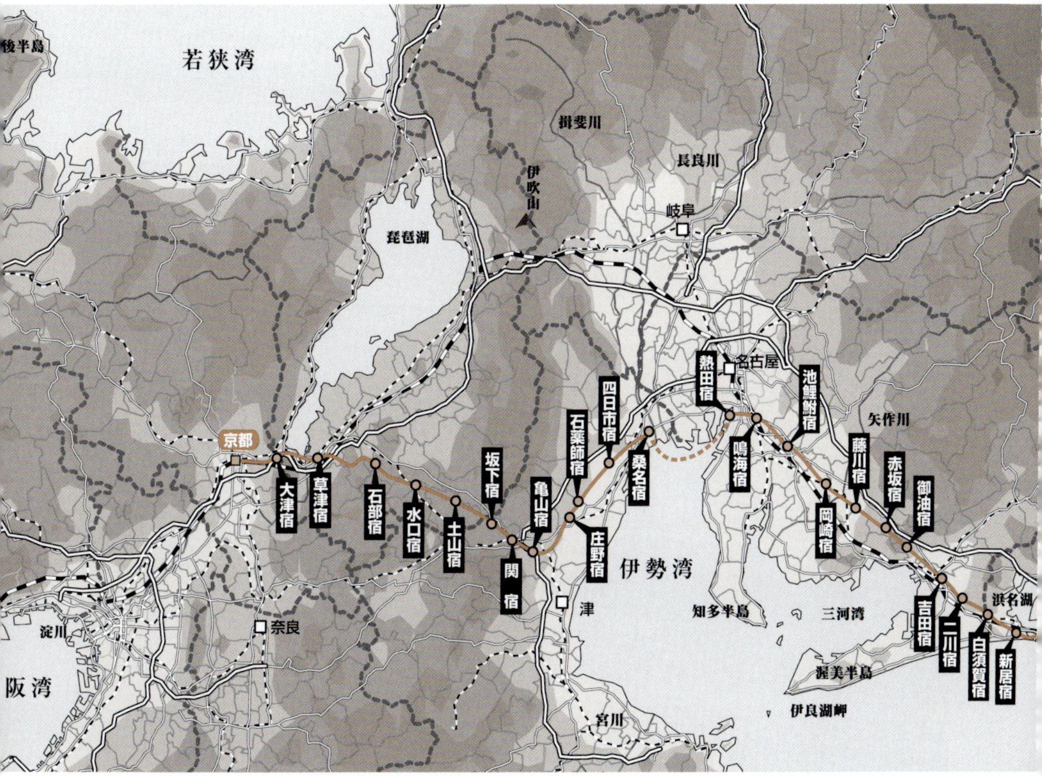

日本橋 ［にほんばし］

東京都中央区

2里（7.8km）

品川宿

日本橋（横浜開港資料館蔵）

明治初期、マイケル・モーゼル撮影。明治６年(1873)に改架される前の日本橋。対岸の橋詰に高札場の屋根が見える。

江戸橋付近（放送大学附属図書館蔵）

明治期の撮影。画面の左右に流れるのが日本橋川。左の橋が江戸橋、正面が西堀留川河口に架かる荒布橋。この写真では江戸橋は木造りだが明治8年（1875）には石橋に架け替えられる。川に沿って蔵造りの倉庫が立ち並び、江戸が水運都市であったことを窺わせている。西堀留川は埋め立てられ今はない。

日本橋（国立国会図書館蔵）

明治44年（１９１１）頃、小川一真写真部撮影。この年の４月３日、現在の石造アーチ橋が架設された。

日本橋本町通り（個人蔵）

文久３年（1863）〜慶応２年（1866）の撮影。日本橋から通り町筋（現中央通り）の西側の一画は、駿河町と呼ばれていた地で、越後屋（現在の三越本店）をはじめ大店が建ち並んでいた。写真中央右に見える塔は、江戸市中に時を告げた本石町３丁目の「時の鐘」である（鐘だけは小伝馬町十思公園内に現存する）。

江戸城常磐橋門（A·ベルタレッリ市立版画コレクション蔵）
内田九一撮影。明治6年（1873）12月23日以前の撮影。この後に撤去された。

三の丸桜田二重櫓（A·ベルタレッリ市立版画コレクション蔵）
明治初期の撮影。

駿河町三井組（個人蔵）
明治期の撮影。清水嘉助設計、明治7年（1874）2月に完成。

日本橋南詰の風景（個人蔵）
明治33年（1900）頃の日本橋南詰の風景。写真の建物は明治20年に創立された東京火災保険株式会社の社屋。

本町嶋久薬舗（個人蔵）
明治後期の撮影。海外直輸入の薬種問屋島田久兵衛の店。

三井呉服店前（個人蔵）
明治 33 年（1900）頃の撮影。この年、三井呉服店は座売りを全廃し、全館陳列場とした。

江戸城西の丸（個人蔵）
写真左手前は現在の皇居二重橋。二重橋の右奥は西の丸伏見櫓。その右側に見える建物の屋根は、明治 21 年（1888）に完成した明治宮殿。江戸時代からあった西の丸御殿は明治 6 年に焼失している。

上野駅小路（個人蔵）
明治 33 年（1900）頃の撮影。明治 16 年、上野ー熊谷間に鉄道が開業。その後、上野駅は東北本線の始発駅となったことから、東京の北の玄関口となり、街も発展した。

歌舞伎座（個人蔵）
明治 33 年（1900）頃の撮影。明治 22 年に東京市京橋区木挽町に開設された近代劇場。惜しくも大正 10 年（1921）に漏電により焼失した。

明治座（個人蔵）
明治 33 年（1900）頃の撮影。明治 26 年に初代市川左団次が千歳座を買収し、座元となり明治座と改称した。歌舞伎や新派の殿堂として知られた。

王子の茶屋（厚木市郷土資料館蔵）

明治初期、F・ベアト撮影。王子の料亭扇屋。寛政年間(1789～1801)に開かれ、王子（北区）の音無川(石神井川)端に在った。江戸時代の王子は、江戸名所のひとつである王子稲荷参詣や滝浴みなど観光地として賑わい、音無川付近には、観光客を見込んだ料亭が軒を連ねていた。

墨堤より隅田川を望む（個人蔵）

明治33年（1900）頃の撮影。墨堤（ぼくてい）とは隅田川の土手のことで、明治期には渡しの小船がたくさんあった。

隅田川の船遊び（個人蔵）

明治期の撮影。花見の日除船。屋形船と間違えられるが、関東では小船に日除け屋根を設けたものは日除船または屋根船と呼ばれた。江戸の下町は大小の水路で結ばれて発達したため、明治期までは川船は庶民の交通の手段として利用されていた。

ビール工場（個人蔵）

明治 33 年（1900）頃の撮影。明治 23 年に発売した「恵比寿麦酒」の製造所（日本麦酒醸造會社）。工場は東京府荏原郡三田村（目黒区三田）、現在の恵比寿ガーデン付近にあった。

九段の常夜灯（個人蔵）

明治 33 年（1900）頃の撮影。

ニコライ堂（個人蔵）

明治 33 年（1900）頃の撮影。明治 24 年に竣工した正教会の大聖堂。

靖国神社（個人蔵）

明治 33 年（1900）頃の撮影。明治 2 年、明治維新で斃（たお）れた志士の霊を祀る招魂社に始まり、同 12 年には別格が与えられ、靖国神社と改称された。

日本橋
2里(7.8km)
品川宿 [しながわ] 東京都品川区
2里18町(9.8km)
川崎宿

品川八ツ山附近（個人蔵）
明治末期の撮影。品川は江戸幕府の南門口にあたる要路にあった。東海道五十三次の中でも第一の宿であったために人々の往来は頻繁で南品川宿、北品川宿、北品川歩行新宿の三区に分かれていた。写真は八ツ山より宿場を通して、品川湾を撮影している。写真左端海上に突出している岬は幕末に造られた砲台（台場）である。

品川沖（個人蔵）
明治 35 年（1902）頃の撮影。

品川潮干狩り（個人蔵）
明治 35 年（1902）頃の撮影。当時、品川の海岸は遠浅で潮干狩りも楽しめていた。

品川宿

2里18町（9.8km）

川崎宿［かわさき］
神奈川県川崎市

2里18町（9.8km）

神奈川宿

川崎大師（国立国会図書館蔵）
明治33年（1900）頃の撮影。古来より川崎は川崎大師の門前町として栄えた。

川崎大師の鐘楼（厚木市郷土資料館蔵）
撮影年未詳（幕末）。F・ベアト撮影。幕末、外国人が居留地よりパスポート無しで訪れることができた東の端が川崎であった。

川崎六郷橋付近（個人蔵）
明治末期の撮影。写真中央の六郷川（多摩川）に架かる六郷橋と左手の川崎町を眺望している。川崎は東海道の第二の宿。

生麦事件の現場（東京都写真美術館蔵）
撮影年代未詳（幕末）。F・ベアト撮影。文久2年（1862）8月 21 日に江戸高輪の薩摩藩邸から帰国途中の島津久光の行列が、生麦村付近で乗馬をしていたイギリス人リチャードソンら4人を殺傷する事件・生麦事件が起こった。この事件により鹿児島がイギリス艦隊の砲撃を受けたことが薩英戦争といわれる。

川崎宿

2里 18町 (9.8km)

神奈川宿

[かながわ]
神奈川県横浜市

1里 9町 (4.9km)

保土ヶ谷宿

神奈川台場の関門（厚木市郷土資料館蔵）

撮影年未詳（幕末）。F・ベアト撮影。江戸内湾を望む神奈川の台町には茶店が建ち並んでいた。台町を過ぎると江戸内湾に別れを告げる。

明治の横浜市神奈川町（個人蔵）

明治末期の撮影。神奈川は古書には狩野川となっており、元は細川の名が転じて地名となった。

神奈川宿の入り口（東京都写真美術館蔵）
撮影年未詳（幕末）。Ｆ・ベアト撮影。右手は海側、左手は山側である。神奈川宿は港町を持つ宿場として発展した。江戸時代は東海道のひとつであったが、安政５年（1858）にはじめて神奈川奉行が置かれ、維新の際に廃止された。明治期には海が埋め立てられて、眺めも一変している。

山の手から見た居留地（東京都写真美術館蔵）

F・ベアト撮影。元治元年（1864）6月、フランス軍キャンプ（現在のフランス山）からの撮影。右手はフランス波止場、写真中央下に谷戸橋、その左端の建物はヘボン邸である。港内に停泊しているのは、下関遠征前のイギリス・フランス・アメリカ・オランダの4国艦隊と思われる。

横浜伊勢佐木町（放送大学附属図書館蔵）

明治中期の撮影か。劇場が林立し、一大歓楽街として賑わっていた。写真左奥の大屋根は松ヶ枝町の勇座で明治32年（1899）の大火で焼失している。

本牧（放送大学附属図書館蔵）

明治期の撮影。明治期の本牧は半農半漁の風光明媚なところであったが、現在は臨海工業地帯となり写真の風景は消滅している。

神奈川宿

1里9町 (4.9km)

保土ヶ谷宿 [ほどがや]
神奈川県横浜市

2里9町 (8.8km)

戸塚宿

帷子橋（個人蔵）
明治末期の撮影。保土ヶ谷は保土ヶ谷町・岩間町・神戸町・帷子町からなる。

保土ヶ谷宿

2里9町 (8.8km)

戸塚宿 [とつか]
神奈川県横浜市

2里 (7.8km)

藤沢宿

戸塚のこめや付近（個人蔵）
明治末期の撮影。戸塚は当初宿場ではなかったが、慶長9年（1604）に宿駅となった。

戸塚（横浜美術館蔵）
撮影年代未詳（幕末）。F・ベアト撮影。日本橋から10里半（約42キロメートル）5番目の宿場。

戸塚宿

2里（7.8km）

藤沢宿 ［ふじさわ］

神奈川県藤沢市

3里18町（13.7km）

平塚宿

藤沢（個人蔵）

明治末期の撮影。藤沢は清浄光寺（遊行寺）の門前町として発展し、大山道・江ノ島道の分岐点として繁栄した。写真には橋の袂に白壁の土蔵が建ち、寄席の旗がたなびいている。

横浜―藤沢間の東海道（個人蔵）

撮影年代未詳（幕末）。F・ベアト撮影。

立て場茶屋（横浜美術館蔵）

撮影年未詳。保土ヶ谷付近の風景。立て場は宿と宿の間の休憩所のこと。

鎌倉（厚木市郷土資料館蔵）
F・ベアト撮影、撮影年代未詳（幕末）。長谷寺への参道。

鎌倉の鶴岡八幡宮一の鳥居（日本大学芸術学部蔵）
撮影者、撮影年代未詳（幕末）。寛文8年（1668）徳川家綱寄進の石造り鳥居。

鎌倉の大仏
（厚木市郷土資料館蔵）
F・ベアト撮影、撮影年代未詳。

鶴岡八幡宮（放送大学附属図書館蔵）
F・ベアト撮影、撮影年代未詳（幕末）。

鎌倉の大仏（日本大学芸術学部蔵）
F・ベアト撮影。撮影年代未詳（幕末）。

鎌倉稲村ヶ崎（個人蔵）
明治期の撮影。

鎌倉御用邸（個人蔵）
明治期の撮影。

五山浄智寺（個人蔵）
明治期の撮影。

五山浄妙寺（個人蔵）
明治期の撮影。

鎌倉宮（個人蔵）
明治期の撮影。

五山寿福寺（個人蔵）
明治期の撮影。

鎌倉龍口寺（日本大学芸術学部蔵）
F・ベアト撮影。撮影年代未詳（幕末）。
日蓮宗本山龍口寺の山門。

頼朝廟（個人蔵）
明治期の撮影。

浦賀（個人蔵）
明治期の撮影。

横須賀造船所（個人蔵）
明治期の撮影。

藤沢宿
3里18町（13.7km）
平塚宿［ひらつか］
神奈川県平塚市
27町（2.9km）
大磯宿

横浜―平塚間の東海道（個人蔵）
F・ベアト撮影。撮影年代未詳（幕末）。

平塚の東海道（日本大学芸術学部蔵）
明治末期の撮影。平塚は相模川と丹沢山系から流れる花水川とに挟まれる格好で町が形成されている。平塚宿は、中原街道や八王子の分岐点で、徳川家康は好んで中原街道を利用した。

大磯の海岸付近
（個人蔵）
明治末期の撮影。海岸でとれる五色砂利は大名への献上品になった。

大磯海水浴場（個人蔵）
明治末期の撮影。日本最初の海水浴場という。

平塚宿
27 町（2.9km）
大磯宿
［おおいそ］
神奈川県中郡大磯町
4 里（15.6km）
小田原宿

大磯の町並み（個人蔵）
明治末期の撮影。江戸時代は漁師町であったが、明治以降は海水浴場や別荘地として栄えた。大磯の浜辺は、「小淘綾の浜」と呼ばれ、万葉集にも詠まれた歌枕の地として知られている。

大磯宿
4 里（15.6km）

小田原宿

[おだわら]
神奈川県小田原市

4 里 8 町（16.5km）
箱根宿

小田原宿

（放送大学附属図書館蔵）

撮影年代未詳（幕末）。F・ベアト撮影。天保 14 年（1843）の小田原宿の宿勢は、本陣、脇本陣各 4 軒、旅籠屋 95 軒を数えていたが、湯本などの温泉場に泊る旅人が多かった。温泉場で何度も風呂に入れることは、旅人にとって魅力であった。

61 東海道の町並みと風景

小田原宿

4 里 8 町 (16.5km)

箱根宿 [はこね]
神奈川県足柄下郡箱根

3 里 28 町 (14.8km)

三島宿

箱根権現大鳥居（個人蔵）
明治期の撮影。

元箱根の沿道（個人蔵）
明治後期の撮影。

箱根芦ノ湖（厚木市郷土資料館蔵）
F・ベアト撮影。撮影年代未詳（幕末）。箱根宿は江戸から 24 里（約 100 キロメートル）余り離れ、東海道日本橋から 10 番目の宿場町である。箱根山は「天下の険、万丈の山と千仞の谷」がある東海道随一の難所であった。

箱根宿（個人蔵）
明治後期の撮影。

箱根宿（個人蔵）
明治期の撮影。

御茶漬

箱根宿（厚木市郷土資料館蔵）

慶応3年（1867）、F・ベアト撮影。箱根八里（31・2キロ）とは、小田原宿から箱根宿までの上り4里と箱根宿から三島宿までの下り4里をいった。江戸から東海道の箱根宿へは、湯本の三枚橋を渡り、畑宿を通って達する。宿場の入口には関所がある。幕末には外国人客が多いためか、イス式の輦台が用意された。

箱根沿道

（東京都写真美術館蔵）

F・ベアト撮影。撮影年代未詳（幕末）。子供を抱く女性の右側に立つのは道標であろうか。

67 東海道の町並みと風景

箱根宿
3 里 28 町 (14.8km)
三島宿 [みしま]
静岡県三島市
1 里 18 町 (5.9km)
沼津宿

水上桜ヶ沢の水車村（個人蔵）
大正前期の撮影。

三島大社の鳥居
（個人蔵）
明治末期の撮影。

三島宿
1 里 18 町 (5.9km)
沼津宿 [ぬまづ]
静岡県沼津市
1 里 18 町 (5.9km)
原 宿

沼津から見た富士山（個人蔵）
明治末期の撮影。沼津を出ると千本松原と呼ばれる松林が街道左側に続く。

沼津（個人蔵）
明治末期の撮影。

沼津宿
1里18町（5.9km）
原　宿
［はら］
静岡県沼津市原
3里6町（12.6km）
吉原宿

原から見た富士山（個人蔵）
明治末期の撮影。原・吉原の辺りは東海道中でもっとも富士山が美しく見える所といわれ、古くよりこの辺りで多くの和歌が詠まれた。

原　宿
3里6町（12.6km）
吉原宿
［よしわら］
静岡県富士市吉原
2里30町（12.1km）
蒲原宿

鈴川合羽橋と富士山
（国際日本文化研究センター蔵）
日下部金兵衛撮影。明治期の撮影。吉原は延宝８年（1680）の津波で壊滅的被害を受け、現在地に移転した。

今泉村からの富士山（日本大学芸術学部蔵）
日下部金兵衛撮影。明治期の撮影。今泉村は現静岡県富士市吉原町。吉原の名物は鰻と白酒であった。

吉原宿
2里30町（11.1km）
蒲原宿
[かんばら]
静岡市清水区
1里（3.9km）
由比宿

蒲原の東海道（個人蔵）
明治末期の撮影。蒲原は、東海道と身延道（甲州の身延山参りの道）との分岐点であり、富士川舟運の発着場としてもたいへん賑わった宿場であった。

蒲原宿
1里（3.9km）
由比宿
[ゆい]
静岡市清水区
2里12町（9.1km）
興津宿

由比（個人蔵）
明治末期の撮影。由井正雪誕生の地といわれる。由比を出ると薩埵峠の上りになるが、途中の茶屋では名物のサザエを食べさせた。歌川広重は薩埵峠からの富士を描いている。

由比宿
2里12町（9.1km）
興津宿
[おきつ]
静岡市清水区
1里2町（4.1km）
江尻宿

興津（個人蔵）
大正7年（1918）の撮影。古代興津には清見関が置かれた。蒲原から興津間は東海道中でもっとも風光明媚な地として知られた。清見寺からは三保松原や久能山を望める。興津名物として有名なものが、美少年が売る清見寺膏薬と興津鯛である。

興津宿
1 里 2 町 (4.1km)
江尻宿 [えじり]
静岡市清水区
2 里 25 町 (10.5km)
府中宿

江尻（個人蔵）
明治末期の撮影。この地はもと高橋村の浦浜であったが、武田氏がここに築城して、城下町として発展した。江戸時代には宿内から府中へ流れる巴川の海運と、幕府公認の廻船問屋による海運とで賑わった。

江尻宿
2 里 25 町 (10.5km)
府中宿 [ふちゅう]
静岡市葵区
1 里 16 町 (5.6km)
鞠子宿

安水橋（個人蔵）
明治末期の撮影。安倍川に架かる橋で、静岡名所として絵葉書にもなった。

府中御用邸（個人蔵）
明治期の撮影。

府中宿
1里16町(5.6km)
鞠子宿 [まりこ]
静岡市駿河区
2里(7.8km)
岡部宿

鞠子宿（個人蔵）
大正7年（1918）の撮影。安倍川を渡ると、山間の里、鞠子（丸子）宿に入る。この頃、名物のとろろ汁屋が 10 軒ほど賑わっていた。

鞠子宿
2里(7.8km)
岡部宿 [おかべ]
静岡県志太郡岡部町
1里26町(6.7km)
藤枝宿

岡部宿（個人蔵）
大正7年（1918）の撮影。宇津ノ谷峠は、明治9年（1876）、トンネルを掘り、新道が造成された。峠路は『伊勢物語』東下りの段により、歌を詠む人々の憧れの地になった。

岡部宿
1里26町(6.7km)
藤枝宿 [ふじえだ]
静岡県藤枝市
2里8町(8.7km)
島田宿

藤枝宿（個人蔵）
大正7年（1918）の撮影。藤枝は、2キロほどの長い宿場であった。また、田中城の城下町でもある。瀬戸の染飯は東海道を代表する名物の一つである。写真は警察署である。

島田宿（個人蔵）
大正7年（1918）の撮影。島田宿は、東海道一の大河大井川の渡し場として発展した宿場である。

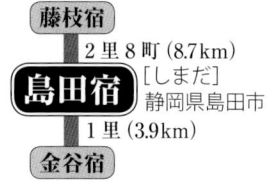

藤枝宿
2里8町（8.7km）
島田宿［しまだ］静岡県島田市
1里（3.9km）
金谷宿

島田宿
1里（3.9km）
金谷宿［かなや］静岡県島田市
1里24町（6.5km）
日坂宿

金谷宿（個人蔵）
大正7年（1918）の撮影。島田宿から大井川を渡ると金谷宿である。金谷・日坂間の小夜の中山は夜泣石、飴の餅で知られた。

川越し（東京都写真美術館蔵）

撮影年未詳（幕末）。Ｆ・ベアト撮影。撮影場所は不明。駿河では、大井川・安倍川・瀬戸川・興津川で川越しが行われた。歩行渡しは明治3年（1870）まで続けられた。

金谷宿
1里24町（6.5km）
日坂宿 [にっさか]
静岡県掛川市
1里29町（7.1km）
掛川宿

日坂宿（個人蔵）
大正7年（1918）の撮影。山々に囲まれた宿場である。明治に入り峠の北側に新道ができたため寂れてしまった。

日坂宿
1里29町（7.1km）
掛川宿 [かけがわ]
静岡県掛川市
2里16町（9.5km）
袋井宿

秋葉神社第一の鳥居前の橋
（個人蔵）
大正7年（1918）撮影。写真は掛川城の城下町である掛川の町外れから秋葉神社のある秋葉山へと赴く道を写している。

掛川宿
2里16町（9.5km）
袋井宿 [ふくろい]
静岡県袋井市
1里18町（5.9km）
見附宿

袋井（個人蔵）
大正7年（1918）の撮影。袋井は東海道五十三次の真ん中の宿場になる。写真は昔、橋の袂に茶屋があったところである。

袋井宿
1 里 18 町（5.9km）
見附宿［みつけ］
静岡県磐田市
4 里 7 町（16.4km）
浜松宿

見附（個人蔵）
大正７年（1918）の撮影。写真は見附を流れる天竜川を写したもので江戸時代にはない木製の橋が見える。

見附宿
4 里 7 町（16.4km）
浜松宿［はままつ］
静岡県浜松市
2 里 18 町（9.8km）
舞坂宿

浜松港（個人蔵）
大正８年（1919）頃の撮影。

浜松の町外れ（個人蔵）
大正７年（1918）の撮影。徳川家康は元亀元年（1570）岡崎から当地に移り、曳馬城を浜松城と改めた。天正 14 年（1586）に本拠を駿府に移す。

伝馬町通り（個人蔵）
明治 35 年（1902）頃の撮影。

浜松宿
2 里 18 町 (9.8 km)
舞坂宿 [まいさか]
静岡県浜松市
1 里 18 町 (5.9 km)
新居宿

舞坂（個人蔵）
大正７年（1918）の撮影。舞坂宿からは渡し舟で浜名湖を渡っていた。写真は舞坂から浜名湖を撮らえたものである。

舞坂より富士山を見る（個人蔵） 大正７年（1918）の撮影。

舞坂宿
1 里 18 町 (5.9 km)
新居宿 [あらい]
静岡県浜名郡新居町
2 里 24 町 (6.5 km)
白須賀宿

新居（東京都写真美術館蔵）
明治初期、F・ベアト撮影。浜名湖を渡ると新居宿である。新居関所は西からの旅人を改めた。現存する建物は江戸時代のものである。写真は関所付近を撮影したもの。

白須賀の潮見坂（個人蔵）
大正７年（1918）の撮影。白須賀は当初海岸沿いにあったが、宝永４年（1707）の地震と津波により潮見坂台地に移転。写真は坂上から遠州灘を望んでいる。

新居宿
2里24町（6.5km）
白須賀宿 ［しらすか］
静岡県湖西市
1里17町（5.8km）
二川宿

二川（個人蔵）
大正７年（1918）の撮影。写真は「猿ヶ馬場」付近か。豊臣秀吉がこのあたりの茶屋で柏餅を食べてそれを「勝和餅」と名付けたといわれる。二川宿本陣は修復され資料館になっている。

白須賀宿
1里17町（5.8km）
二川宿 ［ふたがわ］
愛知県豊橋市
1里20町（6.1km）
吉田宿

豊川に架かる今橋（個人蔵）
大正7年（1918）の撮影。吉田は吉田城の城下町であり港町でもあった。明治２年(1869)吉田は豊橋と改名。

二川宿
1里20町(6.1km)
吉田宿 [よしだ]
愛知県豊橋市
2里22町(10.2km)
御油宿

吉田城（個人蔵）
明治初期の撮影。豊川の対岸より撮影されたもので、明治６年（1873）の失火により建物の大半が焼失。その後残った建物も明治９年に払い下げ、取り壊しになっており、当時を偲ぶ貴重な一枚である。

吉田宿
2 里 22 町（10.2 km）
御油宿 ［ごゆ］
愛知県豊川市
16 町（1.7km）
赤坂宿

御油の町並み（個人蔵）
大正７年（1918）の撮影。宿の西端からは赤坂宿を望むことができる。

御油宿
16 町（1.7km）
赤坂宿 ［あかさか］
愛知県宝飯郡音羽町
2 里 9 町（8.8km）
藤川宿

赤坂（個人蔵）
大正７年（1918）の撮影。写真は安藤広重に描かれている大正期の村木屋。御油・赤坂は指呼の間。両宿は旅客争奪のため飯盛女を多く置いた。

赤坂宿
2 里 9 町（8.8km）
藤川宿 ［ふじかわ］
愛知県岡崎市
1 里 25 町（6.6km）
岡崎宿

藤川宿の棒鼻周辺（個人蔵）
大正７年（1918）の撮影。写真は大正時代の東の棒鼻跡である。棒鼻は宿場の出入り口。

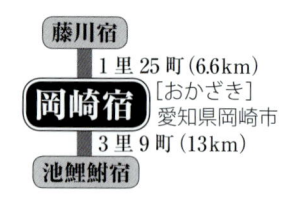

藤川宿
1里25町(6.6km)
岡崎宿 [おかざき] 愛知県岡崎市
3里9町(13km)
池鯉鮒宿

岡崎城天守南面（岡崎市教育委員会蔵）
明治6～7年（1873～74）に払い下げ取り壊されている。宿内の道は曲折が多く、27回りなどと呼ばれた。

矢作川に架かる矢作橋（個人蔵）
大正7年（1918）の撮影。矢作橋は東海道中でもっとも長い橋であった。

池鯉鮒の厩舎（個人蔵）
大正7年（1918）の撮影。池鯉鮒は知立とも書く。江戸時代、この地に馬の市がたっていた。まだ写真の松林の中に数棟の厩舎が写っている。

岡崎宿
3里9町(13km)
池鯉鮒宿 [ちりゅう] 愛知県知立市
2里30町(11.1km)
鳴海宿

池鯉鮒宿
2 里 30 町 (11.1km)
鳴海宿 [なるみ] 名古屋市緑区
1 里 24 町 (6.5km)
熱田宿

有松の町並み（個人蔵）
大正７年（1918）の撮影。間の村・有松は紋り染めが名産であった。今も宿場を凌ぐような家屋が建ち並ぶ。

鳴海宿
1 里 24 町 (6.5km)
熱田宿 [あつた] 名古屋市熱田区
渡海 7 里 (27.3km)
桑名宿

熱田神宮（個人蔵）
大正７年（1918）の撮影。熱田は門前町・宿場町・名古屋城下の港町として発展していた。

熱田宿
渡海 7 里 (27.3km)
桑名宿 [くわな] 三重県桑名市
3 里 8 町 (12.7km)
四日市宿

桑名の船着場（個人蔵）
大正７年（1918）の撮影。桑名は古くからの港町である。写真の石垣は桑名城の櫓台の跡である。

桑名宿
3 里 8 町（12.7km）
四日市宿［よっかいち］
三重県四日市市
2 里 27 町（10.7km）
石薬師宿

三滝川に架かる橋（個人蔵）
大正７年（1918）の撮影。宿名は室町時代末期の定期市が四の日であったことによる。四日市を出た日永の追分で伊勢への道が分岐する。

四日市宿
2 里 27 町（10.7km）
石薬師宿［いしやくし］
三重県鈴鹿市
25 町（2.7km）
庄野宿

石薬師（個人蔵）
大正７年（1918）の撮影。石薬師宿は石薬師寺の門前町。石薬師は元和２年（1616）に宿場になった。

石薬師宿
25 町（2.7km）
庄野宿［しょうの］
三重県鈴鹿市
2 里（7.8km）
亀山宿

庄野の田園（個人蔵）
大正７年（1918）の撮影。東海道五十三次の中で最も遅く、寛永元年（1624）頃に宿場として成立している。小さな俵に入れた焼米は、名物として有名であった。

伊勢神宮（個人蔵） 明治8年（1875）撮影。

伊勢神宮宇治橋（個人蔵）
明治 33 年（1900）頃の撮影。

伊勢神宮外宮神楽殿（個人蔵）

伊勢神宮内宮（個人蔵）
明治 33 年（1900）頃の撮影。

庄野宿
2里(7.8km)
亀山宿 [かめやま] 三重県亀山市
1里18町(5.9km)
関　宿

亀山城下（個人蔵）
大正7年（1918）の撮影。写真は東海道松並木と現存する亀山城の多聞櫓を撮らえている。

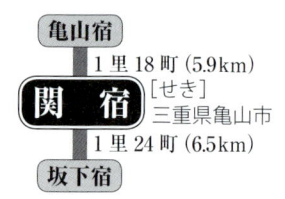

亀山宿
1里18町(5.9km)
関　宿 [せき] 三重県亀山市
1里24町(6.5km)
坂下宿

関の町並み（個人蔵）
大正7年（1918）の撮影。関宿は古来より、交通の要衝地として賑わった。町並みは国の重要伝統的建造物群保存地区に指定されている。

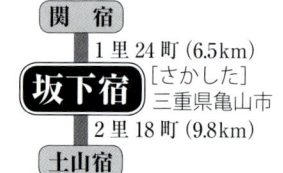

関　宿
1里24町(6.5km)
坂下宿 [さかした] 三重県亀山市
2里18町(9.8km)
土山宿

坂下（個人蔵）
大正7年（1918）の撮影。鈴鹿峠の坂の下にあったのが名の由来。これより難所鈴鹿峠への上りである。山中には甘酒茶屋が多くあった。

坂下宿

2里18町（9.8km）

土山宿［つちやま］
滋賀県甲賀市

2里25町（10.5km）

水口宿

土山の田村橋（個人蔵）

大正7年（1918）の撮影。写真は安藤広重の絵にも描かれている田村川と田村橋である。土山は馬子唄に「坂は照る照る鈴鹿は曇る。あいの土山雨が降る」と歌われている。

土山宿

2里25町（10.5km）

水口宿［みなくち］
滋賀県甲賀市

3里18町（13.7km）

石部宿

水口の町並み（個人蔵）

大正7年（1918）の撮影。宿内で道が三筋に分かれるが、中央が東海道。名物は煙管と葛籐細工、そしてどじょう汁である。特産品の干瓢は下野壬生からもたらされた。

水口宿

3里18町（13.7km）

石部宿［いしべ］
滋賀県湖南市

2里35町（11.7km）

草津宿

石部（個人蔵）

大正7年（1918）の撮影。写真は広重の絵にある目川の里、石部の郊外にあった茶屋「いせや」付近である。

石部宿
22 里 35 町（11.7km）
草津宿［くさつ］
滋賀県草津市
3 里 24 町（14.3km）
大津宿

新東海道と中山道
（草津宿街道交流館提供）
明治末期の撮影。草津は東海道と中山道が合流・分岐する重要な宿場であった。写真は覚善寺の山門に明治19年（1886）に造られた道標で、現在も覚善寺の門前に建っている。

草津駅前通り
（草津宿街道交流館提供）
明治末期の撮影。写真右側奥に草津駅舎があり、現在のサンサン通りを駅方向に撮った写真である。菅笠を被った旅装束姿も見える。

草津宿
3 里 24 町（14.3km）
大津宿［おおつ］
滋賀県大津市
3 里（11.7km）
京　都

瀬田の唐橋（個人蔵）
明治30年（1897）頃の撮影。琵琶湖から注ぎ出る瀬田川に架かる橋で、京都防衛上重要な橋であった。

三井寺より望む琵琶湖
（国際日本文化研究センター蔵）
撮影年代不詳。写真は三井寺、正式名長等山園城寺（ながらさんおんじょうじ）より大津市内と琵琶湖を撮らえている。

石山寺（個人蔵）
明治 30 年（1897）頃の撮影。平安時代から宮廷の女人たちに親しまれ、紫式部らが訪れていたことは知られる。

大津市街（個人蔵）
明治末期の撮影。大津から京都へは逢坂山を越える「大関越え」と、逢坂山を迂回する「小関越え」の道があった。両道は山科の手前で合流する。

三条大橋（個人蔵）

明治後期の撮影。三条大橋は東海道の東からの終点、西からの起点となる玄関口にあたる。写真の三条大橋は、明治14年（1881）に修築された橋である。

大津宿

3里(11.7km)

京　都 [きょうと]

京都市東山区

三条大橋（個人蔵）

大正７年（1918）の撮影。大正６年４月27日から３日間にわたり行われた日本最初の駅伝は、ここ三条大橋からスタートした。現在の橋の上に「駅伝の碑」がある

八坂の五重塔（放送大学附属図書館蔵）
撮影年代未詳。写真は八坂の五重塔を撮らえている。

清水寺前（国立国会図書館蔵）
明治中期・小川一真撮影。

三十三間堂（国立国会図書館蔵）
明治中期・小川一真撮影。

清水寺（個人蔵）
明治 37 年（1904）頃の撮影。

丸山遠望（国立国会図書館蔵）
明治中期・小川一真撮影。

銀閣寺
（国立国会図書館蔵）
明治中期、小川一真の撮影。

祇園（個人蔵）
幕末の撮影。

二条城（個人蔵）
明治初期の撮影。

祇園祭（個人蔵）
明治後期の撮影。

東山遠望（個人蔵）
撮影年代未詳。鴨川沿いの町並みを撮らえている。

東山三十六景（個人蔵）
明治 36 年（1903）頃の撮影。
写真は鴨川沿いの町並みを撮らえている。

高瀬川（個人蔵）
明治 36 年（1903）頃の撮影。

東寺五重塔（個人蔵）
明治 30 年（1897）代の撮影。

板橋（板橋区教育委員会蔵）
明治初期の撮影。中山道の最初の宿場が板橋宿である。時代劇ファンにおなじみの「板橋まで送ってやりな」の、江戸から中山道へ旅立つ人の見送り場であり、また旅から戻った人の出迎え場であった。

関東・甲信の町並みと風景

東京都／埼玉県／千葉県／茨城県／栃木県／群馬県／山梨県／長野県

江戸と京都を結ぶ、内陸横断道の中山道（国道17号線他）をはじめ、江戸から甲府・下諏訪に延びる甲州街道（国道20号線）、江戸から日光に至る日光街道（国道4号線）、水戸に至る水戸街道（国道6号線）などがある。

※（　）内は現在の国道を示す。

大宮公園（個人蔵）
撮影年代不詳。大宮公園は明治 18 年（1885）の太政官布達によりこの場所にあった寺院や神社が公園になったのが始まりで、その後広大な公園となった。

行田（個人蔵）
明治末期の撮影。忍城の城下町として発展した。江戸時代、熊谷から行田（忍）を忍道と呼び、日光裏街道の宿場として栄えていた。

熊谷の荒川大橋（個人蔵）

明治末期の撮影。写真は熊谷市を流れる荒川に明治42年（1909）に架けられた木造の橋で、その後大正3年（1914）、洪水により一部が流失した。

本庄（個人蔵）

明治末期の撮影。江戸時代、中山道上もっとも人口と建物の多い宿場であった。写真は明治末期の写真であるが賑わいが衰えていないようである。

寄居（個人蔵）

鉢形城の城下町として発展した町で、山間の秩父地方から平野部に開ける境である。

熊谷銀行（個人蔵）
明治 30 年（1897）頃の撮影。明治 27 年に創設された銀行。

川越（個人蔵）
寛元２年（1244）に開かれた川越市にある養寿院の門前。

川越（個人蔵）
川越は川越城の城下町で、川越街道の宿場としても発展した。また、商業も盛んな地であった。

成田山新勝寺（個人蔵）
明治 35 年（1902）頃の撮影。成田不動の名で親しまれる真言宗智山派の大本山、成田山明王院神護新勝寺。

犬吠埼（個人蔵）
明治 33 年（1900）頃の撮影。明治 7 年、千葉県銚子港口の一角、外洋に突出した岬に犬吠埼灯台が設置された。

千葉・多田屋書店（個人蔵）
明治 44 年（1911）頃の撮影。

習志野（佐倉市立美術館蔵）
明治初期の撮影。現千葉県習志野市。

偕楽園（個人蔵）
明治末期の撮影。天保 12 年（1841）、水戸藩主徳川斉昭により開園した庭園である。

水戸城（個人蔵）
明治末期の撮影。二の丸三階櫓。外観から見ると３重であるが、内部は５階建。

那珂川（個人蔵）
明治末期の撮影。茨城県を流れる那珂川に架かる木製の開門橋。現ひたちなか市と大洗町を結ぶ。

潮来（個人蔵）
明治末期の撮影。潮来は利根川水運の港町として栄えた町で、あやめで有名である。

鹿島神宮（個人蔵）
明治末期の撮影。茨城県鹿嶋市宮中にある神社。

利根川（個人蔵）
明治 35 年（1902）頃の撮影。利根川に帆を立てた川船が荷を運んでいる。当時、荷物の運搬は河川の利用が多かった。

大洗海岸（個人蔵）
明治 33 年（1900）頃の撮影。茨城県大洗町にある海岸。明治期から海水浴場で賑わった。景勝地としても有名である。

今市（日光市歴史民俗資料館蔵）
明治 15 年（1882）頃の撮影。写真は住吉町の旧消防本部辺りから日光方面を撮らえる。今市の町を写すもっとも古い写真である。

日光ホテル（個人蔵）
明治 33 年（1900）頃の撮影。日光の旅館中、最大規模で壮麗華美なホテルとして知られた。

二荒山神社（個人蔵）
明治末期の撮影。栃木県宇都宮市の神社。

二荒山神社（個人蔵）
明治後期頃撮影。栃木県宇都宮市の神社。

那須温泉（個人蔵）
那須温泉は明治時代に庶民の間にはやった「温泉番付」で草津温泉に次ぐ大関といわれ賑わっていた。

日光街道含満ケ沢化地蔵
（個人蔵）
明治35年（1902）頃の撮影。大谷川沿いに並ぶ70数体の石仏は、往きに石仏を数え、帰りにまた数えると数が合わないという。

中禅寺湖（個人蔵）
明治末期の撮影。湖畔には欧米各国の大使館別荘が建てられていた。

日光東照宮陽明門（個人蔵）
明治33年（1900）頃の撮影。日光東照宮は徳川家康を祀る神社である。

草津（横浜開港資料館蔵）
撮影年代未詳。写真は草津温泉の中央部にあたり、右手の湯畑には大温泉が涌いている。

水沢観音（個人蔵）
明治末期の撮影。写真は渋川市伊香保町にある水沢寺の本堂（観音堂）と六角堂である。

草津（個人蔵）
明治末期の撮影。50 ～ 90 度ある温泉水を木の板で湯もみして温度を下げることで知られている。

四万温泉（個人蔵）
明治末期の撮影。四万川沿いに広がる温泉街。

伊香保（個人蔵）
明治末期の撮影。榛名山の中腹に温泉が湧き出る。温泉街は石段で有名である。

甲府城址（山梨県立博物館蔵）
明治初期の撮影。愛宕山から甲府城跡と甲府の町を撮らえた。

山梨県師範学校（個人蔵）
明治 17 年（1884）に高楼のある山梨県師範学校が建てられ同 43 年まで使用された。

山梨県庁（個人蔵）
明治末期の撮影。甲府市錦町にあった明治時代の山梨県庁。

八日町通り（個人蔵）
明治期の甲州街道。写真中央の洋館は若尾銀行である。

柳町通り（個人蔵）
明治末期の撮影。柳町は甲州街道の柳町宿。左手前は新藤呉服店、その奥の洋風の建物は有信銀行。

坂本
（横浜開港資料館蔵）
明治10年（1877）代の撮影。坂本宿は現群馬県安中市にあった中山道の宿場で、写真中央に見える碓氷峠越えは難所で有名であった。

軽井沢
（横浜開港資料館蔵）
明治10年（1877）代の撮影。宿場当時は碓氷峠を超えた旅人で賑わっていた。宿には本陣・脇本陣が5軒、旅籠100軒近くあった。写真は軽井沢から浅間山の噴煙を撮らえたものである。

信州善光寺（個人蔵）
明治30年（1897）代の撮影。本堂は宝永4年（1707）に落成し、続いて山門、経蔵などの伽藍が整えられた。

沓掛（横浜開港資料館蔵）

明治 10 年（1877）代の撮影。写真には浅間山の噴煙と橋の袂に丁髷を結った旅人たちが、撮らえられている。

追分（横浜開港資料館蔵）

明治10年（1877）代の撮影。追分宿は中山道と北国街道が分かれる地で賑わいを見せていた。写真は小説などのモデルとなった元脇本陣の油屋であろうか。

塩名田（横浜開港資料館蔵）

明治 10 年（1877）代の撮影。現佐久市塩名田を流れる千曲川に架かる舟橋。架けられた橋はいくども洪水により流失している。

長久保（横浜開港資料館蔵）

明治10年（1877）代の撮影。中山道の長久保宿は和田峠と笠取峠の間の宿場である。写真に写る旅人の装束は江戸時代を彷彿させる。

和田（横浜開港資料館蔵）
明治 10 年（1877）代の撮影。和田峠は旅人にとって次の宿場までの距離も長く険しい地形の為、避難所や茶屋が設置されていた。写真に写る草葺きの家はその元茶屋であろうか。

下諏訪（横浜開港資料館蔵）
明治10年（1877）代の撮影。下諏訪宿は甲州街道の終点宿で中山道上唯一の温泉のある宿場町であった。

上諏訪全景（個人蔵）
明治末期の撮影。この地は高島藩の城下町として繁栄していた。

上諏訪（個人蔵）
明治末期・小川一真撮影。

洗馬・桔梗ヶ原の松（横浜開港資料館蔵）
明治10年（1877）代の撮影。江戸時代に洗馬宿は北国西街道の善光寺詣での追分であった。桔梗ヶ原盆地の松の大木に旅人が集合している。

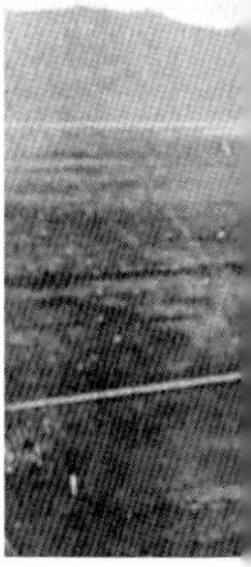

本山の吊り橋（横浜開港資料館蔵）
明治 10 年（1877）頃の撮影。本山はそば切り発祥の地とされる。写真は中山道と平行して流れる奈良井川に架かる吊り橋と旅人の姿。

桜沢の旅館街（横浜開港資料館蔵）
明治10年（1877）代の撮影。江戸時代、桜沢の手前の奈良井川に架かる橋が松本藩と尾張藩領地の境であり、以前は塩尻市と木曽郡楢川村（現在塩尻市）の境となっておりここからが木曽路となる。

贄川（横浜開港資料館蔵）
明治 10 年（1877）頃の撮影。贄川の名の由来は、以前熱い温泉が湧き出ていたからだという。中山道はここから通称「木曽路」と呼ぶ。

木曽福島（横浜開港資料館蔵）
明治 10 年（1877）頃の撮影。福島宿は木曽義昌の時代に宿の縄張があったとされ、木曽 11 宿の中では政治・経済の中心地であった。写真では川と平行する街道沿いの町並みが続いている。

上松宿南の寝覚立場茶屋（上松町教育委員会蔵）

明治末期頃の撮影。上松は木材の一大集散地である。写真に見られる馬は木材運搬に使用する木曽馬、また、中央の建物は中山道沿いの旅籠「越前屋」であろうか。

須原（大桑村教育委員会蔵）

明治43年（１９１０）の撮影。須原宿は正徳5年（１７１５）の洪水により現在地へ移転している。移転のとき宿場の両端を桝形に曲げ、中央で道をくの字に折り、ところどころに小路や広小路を設け、道の中央には用水路を通した宿造りをしている。

三留野（南木曽町博物館蔵）

大正末期頃の撮影。三留野の名の由来は、木曽氏の「御殿」（みどの）である。写真は明治15年（１８８１）の火災による焼失後に再建された町並みである。

勝山街道（個人蔵）
明治末期の撮影。勝山街道（別名志比道・福井城下から小舟渡）の難所九頭竜川に明治15年に20艘の舟を繋いで橋を架けた。人は1銭馬は3銭の料金をとっていた。

北陸・中部の町並みと風景

福井県／石川県／富山県／新潟県／岐阜県

京都から福井・金沢・富山・高田・新潟を日本海沿いに北上する北国街道（国道8号線）を中心に、加賀街道・立山街道・氷見能登街道・石動山道・加賀地区諸道からなる北陸・中部の景色を見てみよう。

※（　）内は現在の国道を示す。

三国港（個人蔵）
明治末期の撮影。現福井県坂井市三国町。江戸時代の三国港は北前船交易の廻船問屋が建ち並び繁栄していた。

敦賀港（個人蔵）
明治45年（1912）頃の撮影。現福井県敦賀市。江戸時代より米や北海道のニシン・昆布を乗せた北前船の港であった。

福井・九十九橋（福井市立郷土歴史博物館蔵）
明治初期の撮影。江戸期に足羽川に架かる橋は九十九橋のみであったが、幕末になると何本かの橋が架けられた。写真は照手御門と九十九橋。

福井城本丸（福井市立郷土歴史博物館蔵）
明治初期の撮影。写真は福井城本丸西面、奥の橋は廊下橋。

金沢城遠望（個人蔵）
撮影年代不詳。石川県金沢市丸の内。写真の上方が前田利家父子が築いた金沢城。

輪島港（個人蔵）
明治末期の撮影。石川県の輪島港は通過困難な能登半島沖をいく船の寄港地であり避難港である。

和倉温泉（個人蔵）
明治末期の撮影。石川県七尾市にある1200年の歴史があるといわれる温泉地。

總持寺（個人蔵）
明治末期の撮影。石川県輪島市。明治43年（1910）に神奈川県鶴見区に本山の機能を移し、總持寺祖院と改称し別院となった。

立山連峰遠望（個人蔵）
明治末期の撮影。富山市から立山を望むには神通橋からが一番良いといわれる。神通橋は慶長年間（1596～1610）、前田利家によってはじめて架けられ、その後幾度か架け直されている。

伏木港（ふしきこう）（個人蔵）
明治末期の撮影。富山県の小矢部川の河口にある港。現在は高岡市・富山市・射水市にわたる大港・伏木富山港となる。

富山県庁（個人蔵）
明治末期の撮影。富山城跡に建つ。明治33年新築の2階建て建坪357坪の県庁舎。

愛本橋（あいもとはし）（個人蔵）
明治末期の撮影。富山県黒部市を流れる黒部川中流に架かる橋。加賀藩主前田綱紀の命により架けられている。

富山城（富山県立図書館蔵）
明治初期の撮影。富山県富山市本丸。写真の右は二の丸櫓門、左が本丸。

新潟・万代橋（個人蔵）
明治 33 年（1900）頃の撮影。信濃川に架かる橋で明治 19 年に建造された。

新潟港（個人蔵）
明治 33 年（1900）頃の撮影。信濃川河口に広がる天然の良港として発展してきた。

新潟市街（個人蔵）
明治 33 年（1900）頃の撮影。写真撮影当時は 1 万戸以上の民家が建つ町であった。

新潟・鶴揚楼（個人蔵）
明治 33 年（1900）頃の撮影。新潟の繁華街・古町通りにあった遊郭。幕末期、「新潟の女郎、芸者色白く美しく、着物などもずいぶん相応の品にて、櫛、こうがい十二、三本ぐらいさす。当所に芸者五百人もある」と唄われたと伝えられる。

村上城下遠望（個人蔵）
明治後期の撮影。写真は村上城本丸から見た村上市内の町並みと三面川。

新発田城
（新発田市教育委員会蔵）
明治初期の撮影。写真左が新発田城の鉄砲櫓。この後取り壊された。

直江津・松葉館（個人蔵）
明治33年(1900)頃の撮影。北陸の要津として知られる直江津第一の旅館であった。

岐阜市全景（個人蔵）
東は金華山を仰ぎ西は長良川の流れる岐阜市は当時、戸数8000余り、人口4万8000人の都市であった。

長良川（個人蔵）
明治35年（1902）頃の撮影。長良川の鵜飼漁。川沿いには漁師の家が点在する漁村が見える。

笹津橋（個人蔵）
明治33年（1900）頃の撮影。写真の笹津橋（富山市）は明治25年、佐藤助九郎が自費で架けた橋である。

太田渡船場間（個人蔵）
明治42年（1909）の撮影。江戸時代の中山道の難所の一つであった「木曽川の渡し」だが、明治35年にロープを繋いだ岡田式渡しに変わった。

牛牧閘門（個人蔵）
明治 42 年（1909）の撮影。江戸幕府代官川崎平右衛門が最初、長良川出水時の逆流を防ぐ為に設置した。

下呂帯雲橋（個人蔵）
明治 42 年（1909）の撮影。飛騨川の上流に架かる帯雲橋は、明治 41 年に架けたもので飛騨の名橋となっていた。

高山長瀬旅館（個人蔵）
明治 33 年（1900）頃の撮影。写真は長瀬清作の営業する旅館で運送業も兼ねていたので店先に荷が多い。

金華山（個人蔵）
明治期の撮影。岐阜市のシンボル金華山に向かう道と道沿いの民家。

梅田停車場（個人蔵） 明治期の撮影。

近畿の町並みと風景

大阪府／奈良県／和歌山県／兵庫県

京都と尼崎・大阪を結ぶ西国街道（国道171号線）、大阪から紀伊半島の田辺・新宮・本宮を経て山田に至る熊野街道（国道42号線他）、和歌山から山田に到る紀伊半島横断の紀伊街道（国道24号線他）など、古代からの街道や神々に詣でる信仰のための街道が多くある地方である。

※（　）内は現在の国道を示す。

大阪図書館（個人蔵）
大正期の撮影。大阪市中之島公園に明治37年（1904）、住友吉左衛門の寄付金により建設された図書館。

心斎橋（個人蔵）
大正期の撮影。大阪心斎橋に明治６年（1873）に架けられていた橋を、大正に入り花崗岩を使って改築した。

道頓堀（個人蔵）
大正初期の撮影。現大阪市中央区。写真に撮られた頃の道頓堀はすでに劇場が建ち並び賑わっていた。

安治川（大正４年『近畿大観』所収）
大正期の撮影。大阪市内を流れる淀川の分流旧淀川の下流部分を安治川という。

大阪市役所（個人蔵）
大正期の撮影。明治 31 年（1898）頃建てられた堂島仮設大阪市役所。

木津川（個人蔵）
大正期の撮影。写真の木津川は和船による荷物の運搬で混雑していた。

千日前（個人蔵）
大正期の撮影。大阪府中央区。写真は大正３年（1914）に建設した大娯楽センター「楽天地」。

大阪市街（個人蔵）
大正３年（1914）頃の撮影。

大阪造幣局（個人蔵）
大正３年（1914）頃の撮影。大阪市北区天満にある、桜の通り抜けで有名な造幣局。

大阪城遠望（個人蔵）
大正３年（1914）頃の撮影。美しい松並木越しの大坂城の写真は珍しい。

大阪城遠望（個人蔵）
大正３年（1914）頃の撮影。豊臣大阪城の２倍の
高石垣の高さの徳川大阪城に圧倒される。

月瀬（個人蔵）
大正期の撮影。月ヶ瀬村は現奈良市。幕末に月瀬記勝により植えられた梅で有名である。

長谷寺（個人蔵）
明治末期の撮影。奈良県桜井市初瀬。写真中央の化粧坂を北上すると初瀬山の中腹に長谷寺の観音堂が見える。この寺は牡丹の花で有名である。

信貴山（個人蔵）
大正期の撮影。奈良県生駒郡平群町。２つの山からなる信貴山には信貴山城があった。

法隆寺（個人蔵）
大正４年（1915）頃の撮影。聖徳太子ゆかりの世界最古の木造建築群。

宮滝（個人蔵）
明治末期の撮影。奈良県吉野郡吉野町。写真に流れる川は吉野川、架かる橋は柴橋、風光明媚な地域である。

法隆寺伽藍（個人蔵）
明治 30 年（1898）頃の撮影。明治 17 年、アメリカ人・フェノロサが岡倉天心と法隆寺を訪ね、法隆寺の建築、仏像を見て日本の美に驚嘆したといわれる。

法隆寺五重塔（個人蔵）
明治 30 年（1898）頃の撮影。奈良県生駒郡斑鳩町。

猿沢池（個人蔵）　明治 30 年（1898）頃の撮影。奈良市奈良公園内。写真左上が興福寺の五重塔。

橋杭岩（個人蔵）
明治 33 年（1900）頃の撮影。和歌山県東牟婁郡串本町にある奇岩群。直線上に並ぶ岩が橋の杭のように見えることからこの名がついたといわれる。

高野山（個人蔵）
大正4年（1915）頃の撮影。和歌山県伊都郡高野町にある空海（弘法大師）創建の寺群。

和歌の浦の紀三井寺（個人蔵）
明治 33 年（1900）頃の撮影。和歌山市の紀三井寺。

和歌の浦（個人蔵）
明治 33 年（1900）頃の撮影。和歌山市の南西部にある景勝地。

鯨の解体（国書刊行会『ふるさとの思い出写真集　明治大正昭和　新宮熊野』所収）
大正時代の撮影。和歌山県東牟婁郡太地町は沿岸での古式捕鯨の発祥の地といわれている。

神戸市（個人蔵）
明治末期の撮影。山手通りの北に聳える諏訪山より神戸市内・神戸港を遠望する。

城崎温泉（個人蔵）
明治 33 年（1900）頃の撮影。現兵庫県豊岡市豊岡町。当時は 50 軒の温泉旅館があった。

城崎温泉（個人蔵）
明治末期の撮影。現豊岡市豊岡町。山陰道にある城崎温泉は当時は 50 軒の温泉旅館があった。

須磨海岸（個人蔵）
明治 41 年（1908）頃の撮影。神戸市須磨区。現在、大阪方面からの交通の便が良いため海水浴客で賑わう。

舞子の浜（個人蔵）
明治 30 年（1897）頃の撮影。神戸市垂水区東舞子町。江戸時代には海岸沿いに多くの茶店があった。明治 33 年（1900）に県立公園となり、現在は四国との「明石海峡大橋」の建設により観光客で賑わっている。

兵庫県庁（個人蔵）
明治末期の撮影。明治 35 年（1902）に建てられた 4 代目の現存庁舎。

姫路城（個人蔵）
明治 33 年（1900）頃の撮影。

須磨海岸（個人蔵）
明治 40 年（1907）頃の撮影。

有馬温泉（個人蔵）
明治 30 年（1897）頃の撮影。神戸市北区。古代より「日本三古湯」のひとつで、
江戸時代には西の大関といわれている。

鳥取市遠望（個人蔵）明治末期頃の撮影。

中国の町並みと風景

鳥取県／島根県／岡山県／広島県／山口県

大阪・神戸の近畿地区から岡山・広島と瀬戸内海沿いを経由して下関に至る山陽道（国道2号線）、京都から出雲大社に至る日本海側を結ぶ山陰路（国道9号線）、姫路から出雲大社を経て広島に出る内陸路の出雲街道（国道54号他）、津和野と浜田の安芸街道（国道9号線）など古代からの交通路が多い。

※（　）内は現在の国道を示す。

鳥取知（智）頭街道筋（鳥取市歴史博物館蔵）
明治中期の撮影。現鳥取市。知頭街道は大正期から昭和初期に鳥取で最も栄えた中心商店街であった。

鳥取県庁（個人蔵）
明治末期の撮影。鳥取市東町。

鳥取城（個人蔵）
明治初期の撮影。鳥取市東町。写真の左が二の丸三階櫓、右に多聞櫓（走り櫓）と菱櫓。

鳥取城遠望（宮内庁書陵部蔵）
明治 12 年（1879）以前の撮影。城下町の外から久松山中腹の鳥取城を望む。

竹島（個人蔵）
明治末期の撮影。竹島は２つの島からなり、日本海海戦で世界に知られた。

出雲大社（個人蔵）
明治 33 年（1900）頃の撮影。島根県出雲市。『古事記』『日本書紀』にも記載されている神社。

浜田港（個人蔵）
明治 33 年（1900）頃の撮影。

邪馬渓（やばけい）（個人蔵）
明治 33 年（1900）頃の撮影。島根県出雲市から車で 20 分ぐらいにある立久恵峡内の岩の造形美。別名が「山陰の耶馬渓」。

柿本神社（個人蔵）
明治 33 年（1900）頃の撮影。島根県益田市の高角山上にある柿本人麻呂を祀る神社。

松江遠望（個人蔵）
明治 33 年（1900）頃の撮影。

島根県庁（個人蔵）
明治 33 年（1900）頃の撮影。

月山（個人蔵）
明治 33 年（1900）頃の撮影。

岡山市（個人蔵） 明治末期頃の撮影。

京橋（個人蔵）
明治 33 年（1900）頃の撮影。岡山市内を流れる旭川に架かり、北区と中区をつなぐ。

岡山城周辺（個人蔵）
大正期の撮影。写真の下の堀に囲まれた部分が岡山城本丸で、中に一中の校舎が建っている。その左と下が二の丸、右上が後楽園。

後楽園（個人蔵）
明治 33 年（1900）頃の撮影。岡山市北区にある日本庭園。岡山藩主池田綱政により造営された日本三名園のひとつ。

閑谷（しずたに）学校（個人蔵）
明治 33 年（1900）頃の撮影。岡山県備前市にある日本最古の庶民学校で、写真の講堂は国宝に指定されている。

岡山城（個人蔵）
明治前期の撮影。天守と月見櫓。

岡山城（岡山城蔵）
戦災前の撮影。

津山城下
（津山郷土博物館蔵）
明治初期の撮影。岡山県津山市山下。北西から見た津山城。

厳島神社の鳥居（個人蔵）
明治33年（1900）頃・小川一真撮影。

縮景園（個人蔵）
明治45年（1912）頃の撮影。広島市中区。広島藩主浅野長晟の別邸として上田宗箇が建造した庭園である。

福山城（個人蔵）
明治33年（1900）頃の撮影。広島県福山市丸之内。城の手前に鉄道の線路が見える。

宇品港（個人蔵）
明治43年（1910）頃の撮影。現広島港。

広島城（個人蔵）
明治33年（1900）頃の撮影。広島市中区。昭和20年の原爆投下によりすべてが破壊された。

尾道遠望（個人蔵）
明治43年（1910）頃の撮影。

尾道（個人蔵）
明治45年（1912）頃の撮影。広島県尾道市。

瀬戸田（個人蔵）
明治末期の撮影。現尾道市。右の小山が潮音山。山の麓に国宝の三重塔で有名な向上寺、頂上に法然寺が建つ。

錦帯橋（個人蔵）
明治 33 年（1900）頃の撮影。山口県岩国市を流れる錦川に架かる錦帯橋は木造５連のアーチ型の美しい橋である。現在はユネスコの世界遺産に登録されている。

三田尻（個人蔵）
明治 45 年（1912）頃の撮影。山口県防府市。戦国時代に活躍した毛利水軍や村上水軍はこの三田尻に移り住んでいる。

錦帯橋（個人蔵）
明治 33 年（1900）頃の撮影。下から撮らえた錦帯橋。

下関（個人蔵）
明治 31 年（1898）頃の撮影。山口県下関市。日本海と瀬戸内海に接する港町である。

亀山八幡（個人蔵）
明治33年(1900)頃の撮影。山口県下関市。
境内には山陽道終点を示す碑が建っている。

下関停車場（個人蔵）
明治45年(1912)頃の撮影。山口県下関市。
山陽鉄道の終点の駅。

山陽ホテル（個人蔵）
明治 45 年（1912）頃の撮影。鉄道院直轄経営の山陽ホテルは下関停車場の前に建っていた。

徳島市遠望（個人蔵）
明治末期の撮影。江戸時代には徳島城の城下町として発展した。

四国の町並みと風景

徳島県／香川県／愛媛県／高知県

高松と徳島を結ぶ讃岐街道（国道11号線）、徳島と川之江を結ぶ伊予街道（国道192号線他）、川之江と松山を結ぶ今治街道（国道196号線）、大洲と宿毛を結ぶ宿毛街道（国道56号線）、松山と高知を結ぶ松山街道（国道33号線）、徳島から高知を経て宿毛を結ぶ土佐街道（国道56号線他）など四国巡礼の旅路が繋がっている。

※（　）内は現在の国道を示す。

徳島公園（個人蔵）
日露戦争戦勝記念として明治39年（1906）に徳島城跡を徳島公園とした。写真は大正天皇の皇太子時代の行幸の際、旅館として建造された千秋閣。

徳島県庁（個人蔵）
明治45年（1912）頃の撮影。徳島藩の邸宅を徳島県庁として使用していた。

徳島城鷲の門前（個人蔵）
大正期の撮影。徳島市徳島町。

阿波郡教育者表彰（個人蔵）
明治 42 年（1909）に設置された教育奨励規定により表彰された教育功労者・皆勤児童・模範児童・その他が、その後一同に集まって記念写真。

撫養町（個人蔵）
明治末期の撮影。徳島県鳴門市。

水床湾（みとこわん）（個人蔵）
明治末期の撮影。徳島県海部郡海陽町宍喰浦。小島の点在する景勝地である。

渭津橋より徳島城内を見る（徳島市市史編纂室蔵）
明治中期の撮影。現徳島県徳島市。徳島橋ともいう。江戸時代は武家地で、稲田屋敷と賀島屋敷の間に橋が架かる。徳島城の鷲の門に通じ、交通の要所であった。

高松市遠望（個人蔵）
明治末期頃の撮影。高松市内から屋島山を望む。写真左遠方にかすかに見える屋島山には源平合戦の古跡が多く存在する。

香川県庁（個人蔵）
明治末期頃の撮影。香川県高松市に明治27年（1894）建築の初代香川県庁舎。

琴平鞘橋（個人蔵）
明治33年（1900）頃の撮影。金倉川に架かる鞘橋。

高松港（個人蔵）
明治33年（1900）頃の撮影。

高松小松旅店（個人蔵）
明治33年（1900）頃の撮影。

高松市街（個人蔵）
明治33年（1900）頃の撮影。

丸亀城城下から天守（個人蔵）
大正期の撮影。香川県丸亀市一番丁。天守と大手門が現存している。

善通寺（個人蔵）
明治 33 年（1900）頃の撮影。香川県善通寺市。四国八十八箇所霊場の第七十五番札所。

屋島神社（個人蔵）
明治 33 年（1900）頃の撮影。香川県高松市屋島中町にある神社。

金毘羅宮（個人蔵）
明治 33 年（1900）頃の撮影。

飯野山（個人蔵）
明治末期の撮影。讃岐富士と呼ばれる。

松山城（個人蔵）
明治末期の撮影。愛媛県松山市丸之内。本丸から見た天守曲輪。

三津浜港（個人蔵）
明治末期の撮影。夏目漱石の『坊つちやん』の舞台となった港として知られる。

松山市内（個人蔵）
明治末期の撮影。現在は四国地方最多の人口をもつ都市になっている。

道後温泉（個人蔵）
明治末期の撮影。道後温泉は愛媛県松山市に湧き出る日本三古湯のひとつ。

高浜港（個人蔵）
明治末期の撮影。愛媛県高浜市に広がる港。向かいに興居島が浮かぶ。

八幡浜（個人蔵） 明治末期の撮影。

宇和島城（個人蔵）
明治末期の撮影。愛媛県宇和島市丸之内。城山の頂上に現存する宇和島城天守が聳える。

八幡村（個人蔵）
明治末期の撮影。現愛媛県宇和島市。

今治城（個人蔵）
明治末期の撮影。愛媛県今治市通町。今治城の本丸と二の丸の石垣と堀。

浦戸港遠望（個人蔵）
明治末期の撮影。現高知港。中央の土佐湾に桟橋が架かる。

高知市全景（個人蔵）
明治末期の撮影。高知城より城下を見る。

吸江青柳橋（個人蔵）
明治 33 年（1900）頃の撮影。高知市街から青柳橋を渡ったところが吸江。橋詰付近に吸江寺が建つ。

土佐神社（個人蔵）
明治末期の撮影。

高知市街（個人蔵）
明治末期の撮影。高知市本町通を路面電車が走る。

高知城（個人蔵） 明治末期の撮影。高知城大手門と山内一豊夫妻を祀る藤竝神社の鳥居。

浦戸港遠望（個人蔵）
明治末期の撮影。高知県高知市の現高知港。

五台山遠望（個人蔵）
明治末期の撮影。高知市郊外の山で夢窓疎石開基の吸江寺や竹林寺がある。

門司港遠望（個人蔵）
明治 31 年（1898）頃の撮影。福岡県北九州市門司区。

九州・沖縄の町並みと風景

福岡県／佐賀県／長崎県／熊本県／大分県／宮崎県／鹿児島県／沖縄県

小倉から田代・佐賀を経て長崎を結ぶ長崎街道（国道200号線他）、小倉・府内・延岡・飫肥を経由して鹿児島に至る日向街道（国道10号線他）、また田代・久留米・熊本を経由して鹿児島に向かう薩摩街道（国道3号線）や沖縄の風光明媚な過去の風景を楽しもう。

※（　）内は現在の国道を示す。

太宰府天満宮（個人蔵）
明治 45 年（1912）頃の撮影。福岡県太宰府市にある菅原道真を祀る神社。

久留米篠山神社（個人蔵）
明治 33 年（1900）頃の撮影。久留米市篠山町。篠山神社は久留米城の城内にあって久留米藩の藩祖有馬豊氏を祀る。

八幡製鉄所（個人蔵）
明治末期の撮影。福岡県北九州市。明治政府の殖産興業により開業した。

博多駅（個人蔵）
明治末期の撮影。明治末期に建てられた２代目駅舎。

博多中島橋（個人蔵）
明治末期の撮影。那珂川に架かる橋は中島橋。

大城炭坑第１坑（個人蔵）
明治33年（1900）頃の撮影。福岡県飯塚市勢田にあった明治炭坑株式会社の前の名で昭和の始めに廃坑となる。

香椎神宮（個人蔵）
明治末期の撮影。

門司市西本町通り（個人蔵）
明治末期の撮影。現北九州市。

博多港（個人蔵）　明治末期の撮影。那珂川の河口の風景。

佐賀セメント（個人蔵）
明治末期の撮影。佐賀郡東川副村諸富（現佐賀市諸富町）に資本金 80 万円で明治 30 年（1897）創業のセメント工場。

佐賀城（個人蔵）
明治末期の撮影。佐賀市城内。天保９年（1838）再建された本丸鯱の門。

佐賀県議事堂（個人蔵）
明治末期の撮影。明治26年（1893）の新築。

佐賀地方裁判所（個人蔵）
明治末期の撮影。佐賀市松原町に明治19年（1886）に建築された。

佐賀県庁（個人蔵）
明治末期の撮影。佐賀県赤松町に明治16年（1883）に建てられた庁舎。

呼子港（個人蔵）
明治末期の撮影。現佐賀県唐津市。
新鮮な魚貝類の並ぶ「呼子の朝市」
で有名な港町。

呼子田島神社（個人蔵）
明治末期の撮影。佐賀県
唐津市呼子町の神社。

広滝水力発電所（個人蔵）
明治末期の撮影。現佐賀県神崎市を流れる城原川の上流の発電所で、発電した電気を佐賀と福岡に供給した。

深川製磁株式会社（個人蔵）
明治末期の撮影。佐賀県西松浦郡有田町で深川忠次社長の経営する陶器製造会社の風景。製品は海外に多く輸出され、また明治 43 年（1910）には宮内庁御用品となる。

相知炭坑（個人蔵）
明治末期の撮影。相知村（現唐津市）にあった三菱合資会社の炭坑風景。

武雄温泉（個人蔵）
明治末期の撮影。杵島郡武雄町桜山公園（現武雄市）の温泉旅館。

肥前織物同業組合工場（個人蔵）
明治末期の撮影。明治43年（1910）につくられた三養基郡鳥栖町（現鳥栖市）の織物組合の工場の風景。

虹の松原（個人蔵）
明治末期の撮影。佐賀県東松浦郡松島村から東、浜崎村（現唐津市）まで広がる約２里（８キロメートル弱）の松原。

唐津松浦橋（個人蔵）
明治末期の撮影。写真は多くの支流を集め唐津港に流れる松浦川に架かる木製の橋。

唐津（舞鶴）公園（個人蔵）
明治末期の撮影。明治維新後、唐津藩主小笠原氏の居城・唐津城（舞鶴城）を公園として整備した。

長崎港

（東京国立博物館蔵）

明治初期の撮影。長崎の大浦居留地背後の「ドンの山」（現どんのやま公園）の中腹より大浦居留地と船の浮かぶ長崎港を遠望。

長崎出島遠望（長崎大学附属図書館蔵）
撮影年代未詳。長崎のドンの山から長崎港に突き出た出島と対岸の稲佐を望む。

長崎高鉾島（個人蔵）
明治33年（1900）頃の撮影。写真は長崎港の入口付近に浮かぶキリシタン殉教の高鉾島。

長崎丸山の芸妓踊り（個人蔵）
明治33年（1900）頃の撮影。現長崎市丸山町・寄合町の芸者衆の踊りを撮らえたもの。

長崎県庁（個人蔵）
明治末期の撮影。長崎奉行西役所跡に建てられた県庁。

長崎港（個人蔵）
明治末期の撮影。江戸時代の鎖国時、オランダや中国との交易で栄えた港であった。

中島川（放送大学附属図書館蔵）

明治中期の撮影。現在、長崎を流れる中島川に架かるアーチ型の石橋は 12 橋ある。しかし、写真に写る石橋名は特定されていない。

長崎稲佐海岸の船（厚木市郷土資料館蔵）

明治初期の撮影。現長崎市丸尾町。風光明媚な海岸でベアト・内田九一・上野彦馬などが被写体とした地であったが現在は埋め立てられ丸尾公園となっている。

熊本城（長崎大学附属図書館蔵）
明治４年（1871）頃の撮影。写真手前が薬研堀、その先に西出丸石垣と石垣上の長い塀。塀の左端が北大手門。その上より小天守・大天守・宇土櫓が見える。

熊本城（個人蔵）
明治7年（1874）以前の撮影。熊本市本丸。加藤清正が築城。本丸の天守は三重六階の大天守と小天守が結ばれた連立式である。本丸に加藤清正を祀る加藤神社（天守の下）が写っているが、明治7年に城外に移築されている。

五家荘（個人蔵）
明治末期の撮影。現八代市。球磨川の上流、別名五個庄は久連子・椎原・葉木・仁田尾・樅木の5箇村で秘境といわれていた。

水前寺成趣園（個人蔵）
明治末期の撮影。熊本藩主細川氏の庭園であったが、明治に入り、遊園地や歴代藩主を祀る出水神社などが造られた。

阿蘇山（個人蔵）
明治末期の撮影。阿蘇山は活火山で大型カルデラを外輪山が囲む。

熊本駅（個人蔵）
明治30年（1897）頃の撮影。明治24年に九州鉄道駅として開業。

三角駅（個人蔵）
明治末期の撮影。熊本県宇城市三角町。明治 32 年（1899）12 月 25 日開業。三角線の終着駅。

江津湖（個人蔵）
明治末期の撮影。写真は江津湖の網打ち漁。湖上には竹が多くはえた小島がある。

大分県立病院（個人蔵）
大正9年(1920)頃の撮影。大分市高砂町に明治13年(1880)開業、明治44年に改築した大分県立病院。その後移転している。

大分城（個人蔵）
大正9年（1920）頃の撮影。大分市荷揚町。城は別名府内城、左から西の丸西南隅櫓、屋根に鐘楼を乗せた櫓門、二の丸（東の丸）西南隅櫓。

大分県立工業高等学校（個人蔵）
大正９年（1920）頃の撮影。写真は大分県市浜脇町に明治 35 年（1902）創立の大分県立高校で当時の生徒数は約 160 名であった。

佐伯港（個人蔵）
大正９年（1920）頃の撮影。瀬戸内海への入口、佐伯市に広がる天然の良港。

大分港（個人蔵） 大正９年（1920）頃の撮影。

日出港（個人蔵）
明治末期の撮影。

臼杵城遠望（臼杵市教育委員会蔵）
明治期の撮影。臼杵城畳櫓（現存）下の風景。正面は古橋門跡、左は武家屋敷の塀。

杵築港（個人蔵）
明治末期の撮影。

青の洞門（個人蔵）
大正9年（1920）頃の撮影。中津市本耶渓田町樋田。宝暦 13 年（1763）に禅海和尚の托鉢により石工が難所のこの山をノミと槌だけで掘ったトンネルがある。

青の洞門（個人蔵）
明治末期の撮影。

宇佐神宮（個人蔵）
大正9年（1920）頃の撮影。大分県宇佐市の神社。

宮崎宮（個人蔵） 明治末期の撮影。宮崎郡大宮村下北方（現宮崎市）。

宮崎県庁（個人蔵）
大正９年（1920）頃の撮影。宮崎市橘通東。明治７年（1874）新築の和風建築。明治９年頃は鹿児島県宮崎支庁として、明治 16 年頃からは宮崎県庁として使用された。

内海港（個人蔵）
大正９年（1920）頃の撮影。宮崎県宮崎郡青島村（現宮崎市）、大正５年に築港工事が始まっている。

青島（個人蔵）
大正９年（1920）頃の撮影。宮崎市の南東部海岸付近の周囲約 1.5 キロメートルの小島。

橘橋（個人蔵）
大正９年（1920）頃の撮影。宮崎市の大淀川に架かる４代目の橘橋。

油津湾（個人蔵）
大正９年（1920）頃の撮影。古くから大陸との交易の中継港で、明治期以降は漁港として栄えている。

細島湾（個人蔵）
大正９年（1920）頃の撮影。宮崎県東臼杵郡細島町（現日向市）。

高鍋町（個人蔵）
明治40年（1907）頃の撮影。宮崎県児湯郡高鍋町。江戸時代、秋月氏の治める高鍋藩の城下として栄えていた。

飫肥町（個人蔵）
明治9年（1920）頃の撮影。日南市。飫肥藩の城下として発展。写真が撮られた頃の人口は約8700人であった。

延岡町・五箇瀬川（個人蔵）
大正９年（1920）頃の撮影。写真の当時は宮崎県東臼杵郡延岡町（現延岡市）で日向灘に面し五ヶ瀬川をはじめとする多くの川が流れ、戸数約５千、人口３万人ほどの城下町であった。

都城町（個人蔵）
大正９年（1920）頃の撮影。江戸時代は薩摩藩の支城の城下町で島津家が統治していた。写真の撮られた当時は宮崎県北諸県郡都城町（現都城市）人口２万６千人ほどの町であった。

鹿児島遠望（放送大学附属図書館蔵）
明治10年（1877）頃の撮影。多賀山から城山方向の市内を遠望。

鹿児島市街（個人蔵）
明治末期の撮影。写真は鹿児島市内、中央が錦江湾、その左上に桜島、右手遠方が大隅半島。

鹿児島県庁（個人蔵）
明治末期の撮影。明治 12 年（1879）建築の鹿児島県庁。

鹿児島港（個人蔵）
明治 45 年（1912）頃の撮影。鹿児島港桟橋は明治 34 年～ 38 年にかけての改修工事で大型船の入港に便利になっていた。

磯島津邸（個人蔵）
明治末期の撮影。写真は鹿児島市吉野町字磯にある島津家の広さ約５ヘクタールの別邸・仙巌園。万治元年（1658）、島津光久により建築、のち代々の藩主により修復されている。

鹿児島城（個人蔵）
明治初期の撮影。写真中央が本丸櫓門、その右が兵具所多聞櫓、左が南東隅櫓。

首里三箇（個人蔵）
大正 14 年（1925）頃の撮影。沖縄県那覇市の首里赤田・首里崎山・鳥小堀は泡盛の醸造地で約 80 戸の酒造家が年間約 2 万石の泡盛を造っていた。

糸満町（個人蔵）
大正 14 年（1925）頃の撮影。現沖縄県糸満市。写真は糸満警察署から北方を望む。左上遠方に瀬長島。

那覇大門通り（個人蔵）
明治末期の撮影。那覇市久米を東西にはしる街道を久米大通りという。その東口を大門または久米大門といい大正期の中心地であった。

石垣測候所（個人蔵）
大正 14 年（1925）頃の撮影。沖縄県石垣市の国立気象観測所。

米つき（個人蔵）
大正 14 年（1925）頃の撮影。沖縄県八重山郡竹富町黒島。石垣島から約 17 キロの「牛の島」。写真の女性たちは沖縄独特の歌を歌いながら臼と杵で米をついている。

首里城（個人蔵）
大正 14 年(1925)頃の撮影。那覇市首里当蔵町。琉球王国尚王朝首里城正殿。別名御百浦添（ウムンダー）または唐破風（カラファーファー）と呼ばれていた。

首里城正門・歓会門（個人蔵）
大正 14 年（1925）頃の撮影。門の入口の左右に石造りの獅子が置いてある。

首里城歓会門周辺（個人蔵）
明治 45 年（1912）頃の撮影。首里城には歓会門のような大門が 3 口、小門は 8 口ある。

首里城遠望（個人蔵）
明治末期の撮影。写真の右遠方が首里城、手前左が師範学校。

首里城下北部（個人蔵）
大正 14 年（1925）頃の撮影。首里城漏刻門あたりから北方向を写す。

青森県庁（個人蔵）
大正４年（1915）頃の撮影。写真は明治 15 年（1882）、弘前藩陣屋跡（現青森市長島）に建つ青森県庁である。青森県は写真撮影当時約 77 万人の人口であった（現在約 133 万人）。

東北の町並みと風景

青森県／岩手県／宮城県／秋田県／山形県／福島県

みちのくの玄関・福島県から青森県を結ぶ奥州街道（国道４号線）、白河から会津若松・新潟に向かう奥州通り佐渡路（国道２９４号線他）、福島から米沢・山形を経て秋田に向かう米沢街道・羽州街道（国道13号線）、日本海側を北上する北国街道（国道７号線）、これらの街道沿いの名所旧跡を遡ってみる。

※（　）内は現在の国道を示す。

弘前城（個人蔵）
明治後期の撮影。写真に写る櫓は弘前城二の丸未申櫓（現存）。三の丸は陸軍の用地となっていた。

第８師団司令部（個人蔵）
大正４年（1915）頃の撮影。明治 35 年（1902）、第８師団の八甲田山での雪中行軍遭難事件で知られる。

青森港（個人蔵）
大正４年（1915）頃の撮影。当時は北海道・樺太との交易が盛んであった。

大鰐温泉（個人蔵）
大正４年（1915）頃の撮影。
青森県南津軽郡大鰐町。

岩木山神社（個人蔵）
大正４年（1915）頃の撮影。弘前市百沢。神社は岩木山の山麓にあり、農漁業の神を祀る。

最勝院五重塔（個人蔵）
大正４年（1915）頃の撮影。弘前市銅屋町。寛文７年（1667）完成の国指定重要文化財の五重塔。

黒石神社（個人蔵）
大正４年（1915）頃の撮影。青森県黒石市。黒石藩祖津軽信英（のぶふさ）を祀る。

盛岡地方裁判所（個人蔵）
明治 41 年（1908）頃の撮影。盛岡市内丸に明治 19 年（1886）完成の瓦葺き平屋の盛岡地方裁判所。

岩手県庁（個人蔵）
明治 41 年（1908）頃の撮影。岩手県盛岡市内丸に明治 36 年（1903）完成。

盛岡馬市場（個人蔵）
明治 33 年（1900）頃の撮影。岩手県の南部地方は牧馬が盛んで、盛岡市内で開かれる馬市場は賑わいを見せていた。

盛岡城（個人蔵）
明治期の撮影。岩手県盛岡市内丸。本丸・二の丸跡の石垣群。

黄金競馬（個人蔵）
明治41年(1908)頃の撮影。岩手郡米内村(現盛岡市）に明治 35 年（1902）創設の競馬場。おもに岩手県の生産馬が走っていた。

盛岡郵便局（個人蔵）
明治 41 年（1908）頃の撮影。盛岡市呉服町に明治 39 年（1906）新築される。

中尊寺金色堂（個人蔵）
明治 35 年（1902）頃の撮影。
岩手県西磐井郡平泉町。

武徳殿（個人蔵）
明治 41 年（1908）頃の撮影。岩手県花巻市城内。
岩手公園北側に建つ武術・大弓の道場。

一関警察署（個人蔵）
明治 41 年（1908）頃の撮影。
明治 20 年に建築された。

鉛温泉（個人蔵）
明治 41 年（1908）頃の撮影。稗貫郡湯口村
（現花巻市）にある温泉場。

登米子持杉神社（個人蔵）
明治 33 年（1900）頃の撮影。

仙台城遠望（個人蔵）

明治末期の撮影。明治 15 年（1882）の仙台城二の丸跡に、大火で焼失後の同 17 年に新築した日本陸軍第2師団司令部が置かれている。

仙台城遠望
（国際日本文化研究センター蔵）
明治9年（1876）以降の撮影。宮城県仙台市青葉区川内。慶長7年（1602)、写真は仙台城大手門から大橋・仙台城下を望んだもので、写真右手の建物は下馬厩、道を進むと大橋、城下となる。

仙台城から見た仙台市街（個人蔵）
明治末期の撮影。

米谷の船橋（個人蔵）
明治41年（1908）頃の撮影。宮城県登米郡佐沼町（現登米市迫町）から米谷町（現登米市東和町米谷）より本吉郡志津川町（現南三陸町）に通じる県道上の北上川に架かる橋。

仙台市芭蕉の辻（個人蔵）
明治33年（1900）頃の撮影。仙台市青葉区にあり、宮城県の道路元標となっている。正式名称は「札の辻」。

作並温泉（個人蔵）
明治41年（1908）頃の撮影。廣瀬村作並（現仙台市青葉区作並）の温泉風景。

銀杏樹（個人蔵）
明治41年（1908）頃の撮影。仙台市宮城野区銀杏町にある樹齢1200年ともいわれる大銀杏の樹。

五大堂（個人蔵）
明治33年（1900）頃の撮影。宮城県宮城郡松島町。写真中央の松島の小島に建つお堂は大同2年（807）、坂上田村麻呂が毘沙門堂を建てたことが始まりとされ、その後、円仁が五大明神像を安置したことにより五大堂と呼ばれる。

観瀾亭（個人蔵）
明治41年（1908）頃の撮影。宮城県宮城郡松島町。伊達家の迎賓館（月見御殿）とされた。

松島（個人蔵）
明治43年（1911）頃の撮影。日本三景のひとつに数えられる。

榴岡公園（個人蔵）
明治末期の撮影。仙台市。つつじの名所に藩主伊達綱村が馬場を造り桜を植えて市民に開放していた地を明治35年に公園として開園した。

洞雲寺（個人蔵）
明治41年（1908）頃の撮影。

石巻港（個人蔵）
明治41年（1908）頃の撮影。宮城県石巻市。石巻港は江戸時代、伊達藩・南部藩の米の積み出し基地として栄えた港である。

鹽竈神社（個人蔵）
明治33年（1900）頃の撮影。宮城県塩竈市にあり、正式名は志波彦神社・鹽竈神社。慶長12年（1607）、伊達政宗が家臣に命じて紀州の匠・鶴右衛門に修造させた神社といわれる。また、明治7年、岩切村（現仙台市）の志波彦神社と合祀している。

塩竈港（個人蔵）
明治末期の撮影。港は北上川の河口を江戸時代初期に改修して発展した。平成 13 年（2001）、仙台・塩竈・松島・石巻の４つを仙台塩釜港と改称した。

塩竈港（個人蔵）
明治 41 年（1908）頃の撮影。

塩竈港（個人蔵）
明治 35 年（1902）頃の撮影。

秋田銀行
（大正７年『秋田県営業案内写真帖』所収）
秋田市大町３丁目に現存する国指定重要文化財の建造物。「赤れんが郷土館」として利用されている。

八龍神社より寒風山遠望
（明治 41 年『男鹿名勝写真帖』所収）
秋田県男鹿市船越八郎谷地にある八郎潟湖畔の八龍神社から寒風山を望む景色。

秋田市田口報秋堂
（大正７年『秋田県営業案内写真帖』所収）
秋田市大町１丁目の商店。

八龍橋
（明治 41 年『男鹿名勝写真帖』所収）
明治 41 年（1908）頃の撮影。秋田県男鹿市船越。

秋田市河村周古商店
（大正７年『秋田県営業案内写真帖』所収）
秋田市茶町梅ノ丁（現茶町通り）の商店。

秋田市新田日本店
（大正７年『秋田県営業案内写真帖』所収）
秋田市土手長町（現中通り）の商店。

船川港（明治41年『男鹿名勝写真帖』所収）
秋田県男鹿市。

秋田市土崎港（個人蔵）
明治 33 年（1900）頃の撮影。秋田市を流れる御物川（雄物川）河口の港町。

湯沢七夕まつり（個人蔵）
明治 33 年（1900）頃の撮影。秋田県湯沢市。青竹に五色の短冊や吹き流しを飾っている。

湯沢愛宕山より鳥海山を見る（個人蔵）
明治 33 年（1900）頃の撮影。湯沢市愛宕神社から出羽・秋田富士と呼ばれる鳥海山を望む風景。

横手蛇の崎橋（個人蔵）
明治33年(1900)頃の撮影。平鹿郡横手町(現横手市横手町）を流れる横手川に架かる橋。

最上川（個人蔵）
明治35年（1902）頃の撮影。山形県を流れる最上川の上流は松川と呼ばれ数々の支流が合流する。「さみだれを　あつめてはやし　もがみ川」　松尾芭蕉の句は有名である。

山寺全景（個人蔵）
大正 11 年（1922）頃の撮影。東村山郡山寺村（現山形市山寺）。宝珠山立石寺は通称『山寺』と呼ばれている。「閑さや　巌にしみいる　蝉の声」は松尾芭蕉がこの地で読んだ俳句である。

宝珠山立石寺奥之院（個人蔵）
大正 11 年（1922）頃の撮影。右の写真の10 年後の姿である。

宝珠山立石寺奥之院（個人蔵）
明治 45 年（1912）頃の撮影。奥之院は通称で、正しくは「如法堂」という。如法堂には多くの絵馬が納められている。

山形城二の丸東大手門跡（個人蔵）
大正期の撮影。明治8年（1875）に城内の櫓などの建物は払い下げられ、取り壊された後、山形連隊の兵営が設けられた。

高湯温泉（個人蔵）
明治末期の撮影。龍山と蔵王山の中間の山腹にある。現在は改名され山形市の蔵王温泉。

臥龍橋（個人蔵）
明治末期の撮影。山形県西村山郡寒河江村（現寒河江市）を流れる寒河江川に架かる橋。

酒田港（個人蔵）
明治 33 年（1900）頃の撮影。
最上川の河口の港。

羽黒山参道（右）と羽黒神社本殿（左）
（個人蔵）
明治末期の撮影。

福島市遠望（個人蔵）
明治 41 年（1908）頃の撮影。江戸時代より福島城の城下町として繁栄した。写真は阿武隈川と町並みを遠望したものである。当時の人口は約 1 万 5000 人であった。

福島県庁（個人蔵）
明治41年（1908）頃の撮影。写真の庁舎は明治13年福島市内に初めて建設したもので、それまでは福島城を県庁として使用していた。

飯坂温泉（個人蔵）
明治 41 年（1908）頃の撮影。福島市飯山町にある温泉で奥州三名湯のひとつ。

飯坂十綱橋（個人蔵）
明治 35 年（1902）頃の撮影。摺上川に架かる銅製の綱で吊り下げた橋は約 60 メートルの長さがあった。

東山温泉（個人蔵）
明治41年（1908）頃の撮影。福島県会津若松市にある温泉。

猪苗代湖十六橋（個人蔵）
明治35年（1902）頃の撮影。猪苗代町と会津若松市を繋ぐ橋で、日橋川が猪苗代湖に流れ込む手前に架かる。写真は明治13年に築かれた石造りアーチ型の水門を兼ねた3代目の橋。

福島信夫橋より信夫山を望む（個人蔵）
明治33年（1900）頃の撮影。信夫橋は阿武隈川の支流荒川に架かる橋で福島市柳町と南町を繋ぐ。写真の橋は明治30年に建設された木鉄混用下路式トラス橋造りの3代目信夫橋である。

明治５年の札幌東部（個人蔵）
明治5年（1872）の撮影。写真は創成川（石狩川）の西から東方を写している。右の建物はお雇い米国人設計の蒸気製材所。川の上流から運ばれた材木が散乱している。

北海道の町並みと風景

北海道

幕末から明治期に、数多くの風景写真が撮られ、そして比較的に写真が残されているのが北海道である。おもに開拓時代の記録としての写真であるが、函館・札幌を中心に室蘭・旭川・釧路などの地方都市の開拓の様子をみよう。

※（　）内は現在の国道を示す。

札幌農学校（個人蔵）
明治 33 年（1900）頃の撮影。現北海道大学。洋館が数棟続き、農産物・家畜・生産の広大な敷地があった。

開拓使札幌本庁舎落成記念景
（北海道大学附属図書館北方資料室蔵）
明治6年（1873）10 月 29 日、武林盛一の撮影。建物は明治 12 年に焼失した。

北海道庁舎（函館市立中央図書館蔵）
明治末期の撮影。明治 21 年（1888）に建築されたレンガ造りの洋館。明治 42 年に内部を焼失したが、その後改修され、現在は「道庁赤レンガ庁舎」などと呼ばれ「北海道立文書館」や北海道庁の会議室として利用されている。

登別原（函館市立中央図書館蔵）
撮影年代不詳。北海道登別市の温泉。弘化２年（1845）、「北海道」という名をつけた松浦武四郎も訪れている。写真は「打たせ湯」の風景。

函館港（個人蔵）
明治 31 年（1898）頃の撮影。天然の良港として中世より利用された。江戸時代には北前船の寄港地として繁栄した。写真撮影時には戸数 1 万 6300 余であった。

函館地蔵町（個人蔵）
明治後期の撮影。現函館市末広町。明治時代、函館一の繁華街に成長する。

函館大町（個人蔵）
明治 34 年（1901）頃の撮影。函館市大町。この町には幕末に外国人居留区が置かれた。

函館港（個人蔵）
明治 33 年（1900）頃の撮影。

函館港の弁才船
（函館市立中央図書館蔵）
明治期の撮影。大型の木造帆船弁才船は明治期になっても内航輸送の主力となって活躍していた。

函館公園博物館（函館市立中央図書館蔵）
函館公園内に明治 12 年（1879）、開拓使函館支庁仮博物場が開設。後に市立函館博物館となる。

函館柏野競馬場（個人蔵）
明治 34 年（1901）頃の撮影。明治 29 年に建設され、明治 31 年に初開催されている。

江差港（函館市立中央図書館蔵）
明治期の撮影。北海道檜山郡江差町を中心とする日本海に面した良港である。明治期にニシン漁が盛んで北前船で各地に運ばれた。また「江差追分」は有名である。

余市（函館市立中央図書館蔵）
大正期の撮影。北海道の日本海に突き出た積丹（しゃこたん）半島の付根にある余市郡余市町に広がる港は多くの漁獲物に恵まれている。また民謡「ソーラン節」発祥の地といわれる。

室蘭港（個人蔵）

明治33年（1900）頃の撮影。安政元年（1854）ペリー率いる米国艦隊が室蘭の沖に入港して室蘭湾内の測量をしている。明治5年、室蘭港は開港した。

旭川市街（大正7年『日本名勝旧蹟産業写真集』所収）

町名は不詳。自動車が走っている。

釧路（個人蔵）

明治34年（1901）頃の撮影。明治32年開港の釧路港は現在では工業団地の広がる大貿易港となっている。

監　修

小沢健志（おざわ　たけし）
大正14年(1925)生まれ。東京国立文化財研究所技官、九州産業大学大学院教授などを経て現在、日本写真協会名誉顧問、日本写真芸術学会名誉会長。東京都歴史文化財団理事1990年に日本写真協会賞功労賞を受賞。著書に『日本の写真史』ニッコールクラブ、1986年。『幕末・写真の時代』筑摩書房、1994年。『幕末・明治の写真』筑摩書房、1997年。『写真で見る幕末・明治』世界文化社、2000年、『写真明治の戦争』筑摩書房、2001年。

山本光正（やまもと　みつまさ）
昭和19年(1944)東京都に生まれる。法政大学大学院人文科学研究科専攻修士課程修了。元国立歴史民俗博物館教授。研究テーマは近世日本の街道史・旅行史・幕末農民生活史。主要著書『幕末農民生活史』同成社、2000年。『江戸見物と東京観光』臨川書店、2005年。『街道絵図の成立と展開』臨川書店、2006年。『東海道の創造力』臨川書店、2008年。『川柳旅日記』上下2冊、同成社、2013年。

〔協力〕編集協力：有限会社リゲル社　　装幀・デザイン：有限会社グラフ　服部 崇／道倉健二郎

レンズが撮《と》らえた　**幕末明治《ばくまつめいじ》　日本《にほん》の風景《ふうけい》**

2014年4月30日　第1版第1刷発行　2017年12月20日　第1版第2刷発行

監　修　小沢健志《おざわたけし》 山本光正《やまもとみつまさ》

発行者　野澤伸平

発行所　株式会社 山川出版社
〒101-0047　東京都千代田区内神田1-13-13
電話　03(3293)8131（営業）　03(3293)1802（編集）
https://www.yamakawa.co.jp/
振替　00120-9-43993

企画・編集　山川図書出版株式会社

印刷所　半七写真印刷工業株式会社

製本所　株式会社 ブロケード

　ISBN978-4-634-15053-9